続・韓国カルチャー

描かれた「歴史」と社会の変化

伊東順子
Ito Junko

a pilot of wisdom

目次

第六章 『子猫をお願い』が描いた、周辺の物語 ——猫と女性、仁川と在韓華僑

済州島のアイデンティティ、「サムチュン」とは？
島を出たハンスと、残ったウニ
「風と石と女の島」――無形文化遺産となった「海女」
済州島のマイルドヤンキーたち
「最高のろくでなし」を演じるトップスター、イ・ビョンホン
「イ・ビョンホン」をふりかえる
最後に、「ダウン症の姉ヨンヒ」を演じたチョン・ウネさんのこと

第九章　ベトナム戦争と韓国ドラマ、そして映画――
――ドラマ『シスターズ』、映画『ホワイト・バッジ』『あなたは遠いところに』など

なぜ韓国ドラマ『シスターズ』はベトナムで放送中断になったのか？
「歴史歪曲」という批判と謝罪、「青い蘭」の秘密
なぜ韓国軍がベトナム戦争に参加したのか？

タブーとなった、ベトナム戦争
唯一のベトナム戦争映画、『ホワイト・バッジ』
韓国とベトナムの国交正常化、民間人虐殺問題と帰還兵
映画『あなたは遠いところに』

第一〇章　語られることのなかった、軍隊の話

――ドラマ『D.P. ―脱走兵追跡官―』と映画『ノーザン・リミット・ライン 南北海戦』

20年前のワールドカップの熱狂と、犠牲者を記憶すること

第一二章　「タワマン共和国」

——韓国人の住まいとペットの話
映画『猫たちのアパートメント』『はちどり』『ほえる犬は噛まない』

不人気だった猫は20年で主演になった

映画『猫たちのアパートメント』

世界でも比類のない「タワマン共和国」、韓国

その建国と江南開発

「団地映画」としての『はちどり』

富裕層はなぜ江南に引っ越したか?

映画『ほえる犬は噛まない』が描いた団地内の文化摩擦

「タワマン共和国」の今後

本書は、ウェブサイトの集英社新書プラス『韓国カルチャー　隣人の素顔と現在』（2022年3月～2023年2月）を元に、加筆・修正したものである。

本書の韓国語文献・資料は特記がない限り、著者が翻訳したものである。

第一章　韓国の学校教育を知る、ドラマ『今、私たちの学校は…』

――パンデミック初期に描かれた、「新型コロナ後」の次なるウイルス

ホラーやゾンビ系が苦手な方へ

本書で最初にとりあげるのは全世界で話題になったドラマ『今、私たちの学校は…』（2022年）にしようと思う。「え、ゾンビ系は苦手なんです」という声はあちこちで聞いたけれど、それは私も同じだ。残酷シーンは苦手で、以前から仕事に支障をきたしている。

『イカゲーム』『地獄が呼んでいる』と残酷シーン満載のヒット作が続いた2021年も大変だったが、忘れもしないのは今から十余年前、2010年8月に『アジョシ』（イ・ジョンボム監督）と『悪魔を見た』（キム・ジウン監督）が連続公開されたときのことだ。ウォンビンとイ・ビョンホンという当時のツートップがそれぞれ主演ということで、日本のメディアも大注目したのだが、どちらもとんでもなく恐ろしい映画で、スクリーンはもう流血の大海原。

それでも『アジョシ』のほうはまだ時々目を覆う程度ですんだが、『悪魔を見た』などは、ずっと目を覆いながら指の隙間からスクリーンを見るような状態だった。試写会でそんなことをやっている腰抜けライターは私だけだったと思うが、高所恐怖症のアルピニストもいるというから仕方ない。イ・ビョンホンは出演作を選ばないことで、昔からファンを喜ばせたり悲しませたりしてきたが、このときばかりは働き者の彼が憎らしかった。

前ふりが長くなってしまったが、すでに当時から韓国のホラーやバイオレンス映画のレベルは高く、近年はその分野における世界的評価は決定的なものらしい。それについては各国の専門家にまかせるとして、ここではドラマでとりあげられている韓国社会の断面について書こうと思う。

そもそもゾンビはなぜ高校に出現したのか?
取り残された高校生たちはどうやってゾンビと戦うのか?
韓国政府や大人たちは高校生を救うことができるのか?

実際にドラマを見なくても、このあたりのテーマを考えてみるのは面白い。ただ、韓国で問題になっている「学校暴力」(いじめ)のシーンに関しては、実際に視聴したほうが議論には参加しやすいとは思う。ホラーが苦手な私でも一応、完走はできた。物語の展開はスリリングだし、高校生役の若手俳優たちの演技も新鮮だった。

「こういう奴《やつ》、絶対にクラスにいるよな」

ぱっと見では、日本の学園ドラマ風にも見える。制服は日本にもよく似たデザインがあるし、放送室や音楽室など、学校の施設にも馴染《なじ》みがある。それでいて日本と韓国の教育制度はかなり違うのだが、それについては後でふれる。

まずは、未見の人や見るつもりのない人のためにも、作品の内容を紹介しながら解説を加えたい。その後に日本とは異なる韓国の教育制度について、またこのドラマを見て「セウォル号事件」を思い出したという人も多いので、そのことにもふれたい。さらに今回、ホラーやゾンビ系が苦手な人でも怖がらずにドラマを鑑賞できる技を習得したので、そちらも伝授できればと思う。

あらすじ「ゾンビウイルスは新たな感染症」

まず、ドラマの「あらすじ」を簡単に書いておく。ネタバレのないように、以下の内容は公式の予告編動画に沿っている。

ドラマの舞台となっているのは韓国の地方都市にある平凡な高校だ。柔らかな日常風景から物語はスタートする。誰もマスクをしていないし、部活の遠征試合も行われている。食堂や教室での風景もまるで「コロナ前」なのだが、人々の台詞《せりふ》などから時代設定は「コロナ後」であることがわかる。ドラマの撮影が始まったのは2020年6月なのだが、おそらくこの段階では、制作陣もパンデミックはすぐに収束すると思っていたのだろう。その後3年近くも続くとは、当時は誰も予測していなかった。ドラマの中でゾンビウイルスは、新型コロナから数年後に、一地方都市で発生した「新たな感染症」と語られている。

その「新たな感染症」＝ゾンビウイルスの発生源は、高校の科学備品室である。そこで飼われていたハムスターに指を噛《か》まれた女子生徒が、学校内での最初の「感染者」となる。感染者はゾンビとなり、それに噛まれた人はまたゾンビになる。そうやって感染はあっという間に拡大し、ゾンビとなった感染者たちは次々に生徒や教員に襲いかかり、校内はまさに阿鼻《あび》叫喚の世界となる。

「どうした？」

「ゾンビ……」

「ゾンビがどうして学校に出るんだ？　映画の中の存在だろ」

目の前で起きている光景が信じられない生徒たちだが、ゾンビから自分とクラスメートを守ろうと必死になる。その攻防戦の中で発揮されるそれぞれの特技、また高校生特有の正義感や友情、さらにぎこちない恋愛感情なども描かれていて、ドラマを身近に引き寄せる。

また、このゾンビウイルスの性質についての謎解きも、見どころの一つとなっている。

「ウイルスに感染した人間は極限の恐怖を感じたのちに、ただ生きるために相手を攻撃する。人として死ぬよりも、怪物になってでも生き残ってくれと」

これを語るのは、ゾンビウイルスを開発した高校教師である。演じるキム・ビョンチョルはドラマ『ＳＫＹキャッスル』の超教育パパ役だった人だ。予告編動画に彼が登場した瞬間、あの受験ドラマの狂気が進化した結果ついにゾンビに⁉と思うような名演技なのだが、『今、私たちの学校は…』では、科学備品室に残された彼のノートパソコンに、ウイルスとの戦いに勝利する秘密が隠されているという設定になっている。

高校から始まった感染は、その日のうちに市中にも広がり、政府は軍を動員して市全体を封鎖してしまう。ゾンビから逃れてきた市民は封鎖のバリケードを突破しようとするが、政府は検査と長期の隔離を命じるし、市民は感染地域からの人流を阻止しようとデモするしで、まるでコロナ下の現実世界さながらだ。その間にもウイルスは「変異」を起こし、そこから生まれる「無症状感染者」や「特殊抗体保持者」など、ウイルスとの戦いを左右するキーワードも出てくる。

ちなみに初期の予想に反し、現実社会におけるパンデミックは収束どころか拡大する一方で、撮影開始から2ヵ月で『今、私たちの学校は…』は、『イカゲーム』など他のドラマとともに撮影が一時中断となってしまった。再開後も厳しい行動制限下での撮影となり、ドラマの緊張感は当時の社会状況とシンクロしていたと思う。

「このドラマは韓国社会の縮図」だという

このドラマの最大のテーマは、なぜゾンビが「高校」に出現したのかである。「学校というのは社会の縮図だから」という一般論はもちろん有効だが、それが小学校でも大学でもなく高校であったことには意味がある。それについて言及する前に、韓国の人々の感想を紹介したい。「このドラマは韓国社会全体の問題を映し出すもの」とする以下のような記述は、多くの視聴者に共通する思いのようだ。

ついに期待していたNetflix今私たちの学校を見る！　金曜日の夜、部屋の明かりを消して妻と一緒に鑑賞開始。まずは3話まで見ましたが、テンポの速い展開と緊張感で満足できます。3話まで視聴して思ったのは、学校を舞台にしながら社会全体の問題を扱っているということ。

1. 住む場所による貧富の差
2. 学校暴力問題
3. 学校暴力の問題を隠蔽しようとする学校の態度

（ミステリアン　30代　https://blog.naver.com/yellbs/222634338483）

まず、1の「住む場所による貧富の差」というのは、予告編の短い動画でも示唆的に挿入されている。遅刻しそうな男子生徒たちが、学校への近道にある高級マンションの塀を越えるシーンだ。マンションのゲートには「部外者の立ち入り禁止」とあり、生徒たちは守衛に怒られるのだが、そこにはマンションで暮らす女子生徒二人も登場している。予告編はドラマの伏線の一つに「住居による格差」があることを予告している。

格差や差別は世界中に存在するが、韓国では特に「住居による格差」が深刻であることは、韓国ドラマや小説などのファンの間では周知のことだ。人々がどれほど敏感かといえば、ドラマの放映直後からネット上に「あの高級マンションの実際の場所はどこ？」という質問が並び、またたく間に返信欄が埋まっていったほどだ。
もちろん映画やドラマがヒットすれば、そこに登場するロケ地が話題になり、ファンが「聖地巡礼」に出かけるのはよくあることだ。このドラマについても、舞台となった高校や生徒の両親が経営するフライドチキン店など、さまざまな「ロケ地情報」が写真入りでアップされていた。でも、それらと高級マンションの取り扱いは微妙に違うのだ。
築年数や分譲価格、さらに現在の推定価格とか、まるで不動産広告のような情報が共有されていた。さらに違和感があったのは、このマンションを扱ったブログの一つが、同じ流れでドラマに登場する「賃貸住宅」について紹介したくだりだった。

「こちらもロケ現場はつきとめました。でもネットでは公開はしないので、知りたい方は個人的にメールをください」

「賃貸住宅」というのは、韓国では「主に低所得層向けの公営住宅」を指す言葉だ。ドラマの中では主人公のオンジョや幼馴染のチョンサンの家として登場している。高級マンションについては住宅価格まで晒《さら》しながら、賃貸住宅は公開しないという「配慮」からは、むしろ問題の深刻さを感じる。正直、気が重くなってしまった。

それで思い出したのは、10年ほど前にソウルで小学校に子どもを入学させた人から聞いた話だ。巨大な高層マンション団地の真ん中にある小学校には校門が4つあり、どの校門を利用するかでその子の家族のステータスがわかるというのである。近所の公園で遊んでいる子どもたちが「お前の家は何坪？」とマウントをとりあうのは、私自身も実際に聞いたことがある。小さな子どもたちほど、親や周囲の大人の影響を受けやすいのだろう。

でも高校生は違う。この年頃の子と親の関係は微妙だ。かつて全能だった親は弱点を見抜かれる存在となり、同時に大人たちの欺瞞《ぎまん》や社会の不正は嫌悪の対象となる。彼らは友人を大切に思い、戸惑いながらも純粋に誰かを好きになる。親たちの差別意識と闘う。高校を舞台にすることで、大人たちもかつてのピュアだった自分自身を思い出すかもしれない。

高校が舞台でありながら、高校生は鑑賞不可？

とはいえ、高校生がすべて純粋なわけでも、完全に善良なわけでもない。ドラマでも「学校暴力」が大きくとりあげられている。ここで扱われる「学校暴力」を、日本では「いじめ」という言葉で表現することもあるようだ。韓国でも90年代までは日本語をそのまま利用した「이지메（いじめ）」という単語を使っていたこともあった。

でも、今は、はっきり「暴力」と規定している。ドラマでは、集団が一人に対して連続して行う嫌がらせや暴力、また女子生徒への性的な暴力や脅迫などの行為が、非常にリアルに描かれている。ゾンビによる残酷シーンよりもむしろ、生身の人間による現実の暴力のほうが恐怖である。見る側がそれを感じることは、つまりドラマの演出としては成功しているのだろう。

「この世が地獄の子にとって、すでに周囲はゾンビだった」

これは、ウイルスの開発者の発言だ。

だとしても、こんなにあからさまでいいのだろうか？

心配になるのは私だけではないだろう。だから韓国でこのドラマはR18指定となっている。18歳以下は鑑賞不可、つまり高校が舞台のドラマでありながら、実際の高校生は見てはいけないドラマなのである。

あまり意識されないのだが、配信の場合も映画館や地上波ドラマと同じように、作品にはそれぞれ「等級」がある。子どもや青少年への悪影響が認められれば、それは12、15、18歳などで年齢を区切って鑑賞不可となる。『今、私たちの学校は…』は2022年12月1日の韓国政府文化体育観光部傘下の映像物等級委員会で「青少年鑑賞不可（R18指定）」が決定された。理由は以下の通りである。

繰り返される殺傷シーンは刺激的であり、極めて暴力的である。また暴言や卑俗語の使用頻度も高い。恐ろしい姿のゾンビたちが人々を攻撃する場面、流血や切断された死骸などの場面も多い。さらに制服姿の青少年の喫煙、学校内での暴力や自殺などのシーンは、いずれも具体的かつリアルであり模倣の危険性がある……。（映像物等級委員会）

制作側にとって、それはすでに織り込み済みだろう。韓国の放送局ではなく、Netflixのオリジナル作品として制作する理由は、その潤沢な制作費だけでなく、表現の幅が広がることにもあるからだ。高校を舞台にしたドラマが「高校生鑑賞不可」とは何か違うような気もするのだが、「今、私たちの学校がどうなっているか」を知る必要があるのは「大人たち」だという言い方もできる。

ただ現実的には年齢の制限など意味をなさないのは、すでに『イカゲーム』などで実証済みだ。中高生どころか小学生も見ていて、それに対する親世代の憂慮の声も大きい。残虐シーンもさることながら、韓国の親たちが最も心配するのは卑俗語や学校暴力、特に性的暴力のシーンである。

悪影響はそこにとどまらないという意見もある。むしろ大人たちが問題なのだと。

地獄のような現実を明らかにするという美名のもとに、残酷に捨てられ、殺され、墜落する若者たちの姿をエンタメとして消費しているのではないか。

（２０２２年2月25日付、『京郷新聞』）

この、テレビ評論家のキム・ソンヨン氏の意見に同調する人も多い。この作品に限らず、同じNetflix配信で始まった『未成年裁判』なども含めて、「ティーンエージャーの苦しみを成人向けジャンルとして楽しむこと」を問題視する声も少なくない。

ドラマを見ながら「セウォル号事件」を思い出したという人々

さて、このドラマを見て「セウォル号事件を思い出した」という人は多い。学校に取り残されて、救助を待っている高校生。しかも主人公らは高校2年生という設定だけでも、「セウォル号」を想起させる。日本でもそのことにふれたレビューは多かった。たとえば２０２２年2月8日にYahoo! ニュースで配信された松谷創一郎氏（ジャーナリスト）の記事は、本作品をゾンビ映画の系譜から読み解く上でも大変勉強になったのだが、後半ではやはり「セウォル号」にふれられていた。

そして、高校生たちがこうした極限状況に置かれる事態は、2014年に起きたセウォル号沈没事故をやはり思い起こさせる。（中略）

物語の中盤、サバイバルを続ける生徒たちがビデオカメラにメッセージを残すシーンは、セウォル号事故で見られた悲しい動画そのものであった――。

（「『今、私たちの学校は…』はコロナ時代にゾンビを再定義する――『イカゲーム』に続く韓国ドラマの大ヒット」）

「セウォル号事故」とは2014年に韓国で起きた旅客船沈没事故である。乗員・乗客の死者299人、行方不明者5人という韓国史上最悪の海難事故となった。なかでも韓国の人々の心を痛めたのは、犠牲者の多数が修学旅行中の高校2年生だったことだ。「子どもたちを救ってやれなかった」という慚愧《ざんき》の念は今も韓国の人々の心の中にある。

事故発生直後には全員救出のニュースが流れたのだが、それが誤報であったことに始まり、初期対応の遅れ、救出作業のミスなどが重層的に発生し、未曽有の被害を招くことになった。明らかな人災であることから、これは「事故」ではなく「セウォル号事件」と呼ばれる。

生徒たちは事故直後に「そのまま船室にとどまれ」と言われ続けた。それはドラマの第2話で登場する「生徒への退避命令を出すことに反対する校長」とストレートにつながる。傾き始めた船体に不安を覚えた生徒たちは、スマホを使って両親と会話をするのだが、両親たちは「先生の言うことを聞いて、じっとしていなさい」と言ってしまう。その後の悪夢を予想できた人はいなかった。

ドラマとセウォル号事件の関係について、イ・ジェギュ監督はインタビューで次のように答えている。

「セウォル号という特定事件を念頭に置いたわけではない。子どもは大人の鏡という言葉のように、学校は社会の鏡だと思う。韓国社会はあってはならない数多くの事件を経験したと思う。セウォル号もその一つであり、その他にも聖水《ソンス》大橋事件など不幸な事故は数え切れない。合理的なシステムの不在、責任の不在から生じた事故だと思う。それらに対する反省と苦悩が『今、私たちの学校は…』に込められている」

(2022年2月、『デジタル朝鮮日報』)

聖水大橋事件とは1994年、ソウルの中心を流れる漢江《ハンガン》に架けられた聖水大橋が崩落して、多くの犠牲者を出した事件である。監督がシステムや責任の不在と語っているのは、その翌年の三豊《サンプン》百貨店の崩壊、また2003年の大邱《テグ》地下鉄放火事件などの、韓国で繰り返されてきた数々の惨事を念頭に置いているのだと思う。

韓国と日本の教育制度の違い、部活動も大学入試のため

世界中でヒットしたという本作だが、日本でもやはり長らくNetflixのランキング1位にあった。冒頭にも書いたように、ぱっと見では日本の学園ドラマ風にも見えるのだが、似ているのは制服や教室の配置だけではない。学校という組織の隠蔽体質などもそっくりである。管理者たちの自己保身というのは、宿痾《しゅくあ》のようなものなのだろうか。

組織の体質は共通していても、教育制度そのものとなると、日韓では大きな違いがある。韓国は進学率が日本よりもはるかに高く、ほとんどの生徒が大学進学のために高校に通う。部活動や文化祭で燃え尽きるという文化はなく、運動部なども特別なエリートコースしかない。

象徴的なのは「高校3年生」の位置づけだ。日本でも受験生は大変だが、韓国で「高3」はパワーワードである。『今、私たちの学校は…』は高校2年生が中心だが、別グループでサバイバルをする高校3年生の台詞の端々からは、彼ら特有のシビアな状況が出てくる。

「高3のつらさに比べたら、こんなもの……」

ゾンビとの攻防戦の中でこんな台詞が飛び出すことに驚いたという日本の人がいたので、たまたまドラマを見たという日本の高校3年生にも、それについて聞いてみた。

「日本でも大学受験は大変だと思うけど、『高校3年生がつらい』という表現にはならないような……楽しいこともありますし。受験生がつらいのはもちろんですが」

日本では高校3年生全員が受験するわけではないし、新型コロナによる事態でも彼らが特に嘆いたのは、文化祭や体育祭などの「楽しみ」や「思い出」が奪われたことだった。

韓国の高校3年生が大変なのは、そこに「受験のすべて」が集中するからだ。過去に過激すぎるとの理由で中学校の入学試験が廃止され（1969年）、しばらくして「高校標準化制度の実施」（1974年）で高校受験も実質的になくなった。その後、一部で特技を生かした英才教育の特別学校が認可されもしたが、一般的には学力試験による選抜はない。

日本だと大学受験に至るまでに、「お受験」と呼ばれる都市部での中学入試をはじめ、何度かの「ふるい分け」が存在する。その結果、良くも悪くも日本の場合は、高校進学の時点で一定の進路は決まってしまうのだが、韓国の場合はそこの区切りがない。韓国では大学受験が人生初の大勝負となってしまうのだ。

部活動についての位置づけも、日本と韓国では大きく異なる。韓国で部活動は一般的ではなく、一部のスポーツエリートに限られたものだ。たとえば韓国でもプロ野球は人気なのだが、それに比べて高校野球はまったく注目されない。日本では野球部のない高校を探すのが大変なほどだが、韓国で野球部のある高校は全国で80校ほどにすぎない。まるで「いきなり甲子園」のような状態であり、その野球部に入る高校生のほとんどがプロを目指している。ただし、当たり前だがプロ入りできるのは上位10％にすぎず、途中でそれを諦めた生徒は「スポーツによる大学進学」を目指す。

ドラマ『今、私たちの学校は…』では、アーチェリー部の生徒が登場している。韓国はアーチェリーの強豪国であり、オリンピックのたびに金メダルが話題になる。ドラマにアーチェリー部が選ばれたのは、その弓矢でゾンビと戦うためであり、韓国映画ファンならば『グエムル―漢江の怪物―』（2006年、ポン・ジュノ監督）で怪物と戦うペ・ドゥナの勇姿を思い出すかもしれない。

ドラマの第2話では、アーチェリー部の生徒たちが大会で惨敗した後、帰りのバスの中でコーチから「これでは大学にも実業団にも入れない」と恫喝《どうかつ》されているシーンがある。

「勉強で全国100位ならソウル大学に行ける。だがお前らの100位はオリンピックを夢見ることすら許されない。人生おしまいなんだよ」

失意の中で、アーチェリー部の高3はゾンビと戦うのである。

パンデミック下、三密回避の中でのドラマ撮影

実のところ、このドラマに対する私自身の評価はスッキリしない。シーズン2が準備されているということなので、そちらを見た後であらためて考えたいとも思う。ただ、一つだけ「すごいな」と感心したのは、この作品がパンデミック下に作られたということである。

これだけではなく、『イカゲーム』『地獄が呼んでいる』などの世界的ヒット作もすべて、韓国政府による厳しい行動制限や感染対策の中で制作された。一時は撮影が全面中断されたり、18時以降の撮影が制限されたこともあったが、その後は政府の指示を守りながら撮影をこなしてきた。その胆力はすごいものだと思った。

特に『今、私たちの学校は…』の群衆シーンは生身のエキストラが参加しており、「三密」(韓国政府もこの言葉を使用していた)どころでない濃密な身体接触が行われている。はたしてどんなふうに撮影が行われたのだろうかと気になって、ドラマのメイキングなどを見たのだが、そこで印象的だったのは感染対策用のマスクをしたゾンビたちの練習風景だった。

Kゾンビともいわれる韓国のゾンビ特有の動きは、念入りな演技指導と訓練の賜物《たまもの》だった。

それと同時に気づいたのは、メイキングを見てからだと、その残酷な場面はあまり怖くないということである。なかでも保育園に登場する子どもゾンビたちの稽古風景は可愛《かわい》らしいばかりで、その後に見た本番はむしろ微笑《ほほえ》ましく感じたほどだ。

なるほどホラーは先にメイキングを見てしまうのが得策かもしれない。邪道な方法だろうが、どうやって見ようが、どんな感想をもとうが私の自由。ということで、とりあえずシーズン2を待ちたいと思っている。

第二章　韓国人が考える、「大人の責任」

——ドラマ『未成年裁判』とそのベースとなった現実の事件

辛口の映画関係者も推す、異色のドラマ

またまた韓国ドラマの大ヒット作が登場した。2022年2月25日にNetflixで配信がスタートした『未成年裁判』（原題『少年審判』）である。翌週には同配信のグローバルトップ10（テレビ・非英語）で1位に浮上した。

『イカゲーム』『地獄が呼んでいる』『今、私たちの学校は…』に引き続き、韓国ドラマの強さは圧倒的ともいえるのだが、前3作と大きく違うのは、この『未成年裁判』は韓国国内でも非常に評価が高いということだ。

「1話から引き込まれて、10話まで一気に見てしまった」（50代女性）

「これまでの3作は視覚や音響などエンタメとしての作りが上手だったということ。でも今回

の『未成年裁判』はちょっと違います。オススメです」（20代男性）

様々な人に意見を聞いてみたが、『今、私たちの学校は…』を10点満点中6点と言っていた映画業界にいる20代男性も、この『未成年裁判』は珍しく褒めていた。もっとも彼は『ドライブ・マイ・カー』（2021年、濱口竜介監督）にとても感動したそうで、そちらについてさらに熱く語ってくれたのだが。これは印象だけれど、韓国の若者は自国の作品についての評価がとても厳しい。業界関係者はなおさらである。

珍しく（？）自国でも大人気という『未成年裁判』だが、内容は原題にあるように「少年審判」の法廷を舞台にしたものだ。韓国では以前から「少年法」をめぐっての議論が起きているが、本作はそこに真っ向から挑んでいる。

非行少年を憎悪する女性判事

それは1球目からど真ん中のストレート勝負という豪腕ぶりだ。たとえばこんな台詞とか。

「14歳未満は人を殺しても刑務所には入らないって、本当なんですか？」

残虐な事件の容疑者として法廷に立った少年はニヤついた表情でうそぶく。それとの強いコントラストで描かれるのは、女性判事の冷酷な表情だ。

「私は非行少年を憎みます」

韓国語では「非行少年」ではなく「少年犯」となっている。

主役のシム判事を演じるキム・ヘスは、1980年代半ばからずっとドラマや映画の第一線で活躍してきた大ベテラン女優だ。浮き沈みの激しい韓国芸能界にあって、ある意味で稀有《けう》な存在ともいえる。以前から変わらぬ大振りな演技は好き嫌いが分かれるが、今回は「はまり役」という評価が多い。脇を固める役者がもれなく当代の演技派で、あまりにも自然体なだけに、新劇チックな身のこなしの主役が、あえて作品の「ドラマ性」を強調する。ふりかえり方、肘の付き方、腕の組み方。

「これって映画『タチャ イカサマ師』(2006年、チェ・ドンフン監督)のときの賭博師役と同じポーズだよね」

友人の指摘にはうなずくしかないのだが、この法廷ドラマでは「キム・ヘスがキム・ヘスであること」が重要なのだと思う。それはドラマが実話ベースに作られているからだ。

全10話の中に登場する主な事件は、いずれも韓国で実際に起きた少年事件を元にしており、当然ながら加害者も被害者も実在する。ならば、あえてドラマはドラマっぽく、現実の事件と切り離されたほうがいいと思う。日本や外国の視聴者が考える以上に、このドラマが韓国で制作され、配信されることの意味は深く、制作者の社会的責任は重いのだ。

韓国人なら誰もが記憶する5つの重大事件

韓国の人々にとっては、思い当たる事件ばかりだ。「仁川《インチョン》小学生殺害事件」（2017年）、「淑明《スンミョン》女子高校試験用紙流出事件」（2018年）、「陽川《ヤンチョン》区中学生レンタカー窃盗追突事件」（2020年）、「龍仁《ヨンイン》市アパートレンガ投下死亡事件」（2015年）、さらに「仁川女子中学生集団性暴行」（2019年）など、その他にもさまざまな少年事件を元に物語が再構成されている。

なかでも第1話のベースとなっている「仁川小学生殺害事件」は、その犯行の残虐性と動機の不鮮明さ、また年齢による量刑の違いなどで、韓国社会全体に大きな波紋を投げかけた事件だった。

2017年3月29日、仁川市の新興団地に住む小学2年生の女子児童が、午後になっても家に帰ってこなかった。母親の通報を受けて、警察と近隣住民の協力による一斉捜査が開始された。団地内の監視カメラから児童の足どりが明らかになると、警察はそのカメラが設置されたマンションを一斉捜索。屋上の給水タンク室の上から遺体が、一部破損した状態で発見された。

また監視カメラには「児童を連れた中年女性の姿」が映っていたため、警察は同じマンションに住む住民の中に犯人がいる可能性があると考えた。ところが驚くべきことに逮捕された容疑者は、当初の見立てとは異なる16歳の少女Aだった。

警察の取り調べで、Aが母親の服を着て犯行を行ったことが判明した。つまり、それは「中年女性のふり」をするという偽装工作に他ならない。また遺体処置の周到さなどからも、犯行が偶発的なものではなく、緻密に計画されたものであることは明らかだった。

しかし動機が不明だった。身代金目当てでも性犯罪でもない児童誘拐事件に、小さな子どもをもつ親たちは戦慄した。いったい何が目的だったのか？

翌30日からは、テレビなどでも連日の報道が続いた。Aは事件について「記憶にない」という証言を繰り返していたが、警察の捜査では児童の下校時間を検索した履歴などが発見されており、また共犯者の存在も浮上していた。

その「共犯者B」が逮捕されたのは、事件から13日後の4月11日。驚くべきことに、その「共犯者B」もまた18歳の未成年の少女だった。犯罪の緻密さから「大人の共犯者」を予想していた世間は驚いた。さらに人々を戦慄させたのは、事件当日の夜にBは切り取った遺体の一部を受け取っていたという事実だった。ただしBは「Aから紙封筒を渡されたのは間違いないが、その中身については知らなかった」と供述していた。

当時の警察発表によれば、二人は事件の1ヵ月半ほど前にSNSを通じて知り合い、何度か直接会っていたともいう。そこで二人は犯行を共謀したとされていた。

不思議な判決

ドラマの内容はかなり改変されているが、ここでは実際の事件について、もう少し書いておきたいと思う。

当時のニュース記事などを見直してみると、事件直後からすでに「少年法」について言及されていたのがわかる。Aが検察送致となった際のKBSニュースは、送致理由となった容疑を述べた後に、次のような一言を加えている。

ただし、未成年者のAには少年法が適用されるため、懲役は最高で20年となります。

（2017年4月7日、KBSニュース）

ドラマにも描かれていたように、「厳罰を求める世論」は当時から相当強かった。メディアでは少年法改正問題がとりあげられ、賛否をめぐる議論が燃え上がったのだが、たしかに半年後に仁川地方裁判所が出した判決は「異様」ではあった。

主犯のAには懲役20年、共犯のBには無期懲役。

実行犯である主犯Aよりも、共犯Bのほうが刑が重いって、なぜ？　しかもBは共謀の嫌疑だけで、当日の犯行には加わっていないのに？　視聴者の疑問を予測したように、ニュースではイラスト付きの解説が用意されていた。インタビューに応じた担当判事の語りは、実にあっさりしたものだった。


二人とも少年法の適用を受けますが、Aは18歳未満であるために死刑や無期懲役には処されずに懲役刑になり、Bは18歳以上であったために無期懲役となりました。

（２０１７年９月22日、ＫＢＳニュース）


16歳と18歳。いずれも未成年であり「少年法」の対象となるが、18歳を区切りにその処罰が大きく違っている。それが法律というものなのだろうが、主犯と共犯で逆転してしまった量刑はやはり不自然だった。そもそもBは共謀を否定しており、判決には不服ということで即刻控訴した。また数日後にはAも「犯行当時は心身微弱状態であった」として控訴している。

翌年４月の控訴審では、「Bに犯行を指示された」というAの供述が否定されて、高裁はA

の単独犯行と判断。共犯者でなくなったBは殺人幇助《ほうじょ》の罪で懲役13年となり、Aは「心身微弱状態だった」という主張をしたが認められず、判決は一審と同じく年齢での最高刑である懲役20年のままとなった。最高裁の結論も同じく、２０１８年9月に二人の刑は確定した。

少年法改正をめぐる議論

ネタバレになるのでドラマのあらすじは詳しく書かないが、実際の事件とは重要な違いがある。ドラマで登場する容疑者は13歳の少年と16歳の少女であり、実話よりも下の年齢設定になっている。

この年齢設定には意味がある。同じ未成年者でも14歳未満の場合は刑事責任年齢に達していないため、さらに「少年法の矛盾」が浮き彫りになる。ドラマの中でも説明されているが、14歳未満の「触法少年」は犯罪者として処罰されず保護処分の対象となるからだ。ドラマの中の判事の一人は、次のように発言している。

「誘拐に殺人、死体損壊に死体遺棄。だが犯人は触法少年だ。少年法の最高量刑20年でも非難されるのに、少年院に2年収容が精いっぱいだ。満14歳未満という理由で」

前述したように韓国では近年、少年犯罪への厳罰化を求める声が大きい。とりわけ被害者の立場からすれば、年齢だけを理由に凶悪な加害者が「保護の対象になる」というのは納得しがたいだろう。それでもやはり少年たちの更生を願う裁判官たちは苦悩する。日本でも長年にわたって議論されているテーマである。

ところで驚いたのは、この13歳の少年役を演じているのが、実は27歳の女優であるということだ。冷めた笑いを浮かべる非行少年役のとてつもない演技力を大女優キム・ヘスも絶賛したと、韓国のニュース記事になっていた。

話がそれたが、『未成年裁判』はこれまでに作られた実話ベースのドラマとはかなり趣が違う。多くの作品はドラマ化される際に、過剰な脚色が足し算式に盛り込まれることが多いのだが、このドラマは逆である。ベースになっている実話よりも、むしろ引き算でシンプルにしてある。

たとえば『仁川小学生殺害事件』は非常に猟奇的な側面もあり、少女Aが参加していたインターネット上の創作サイトの問題などに言及する人も少なくない。だが、ドラマはあえてそこには踏み込もうとはしない。犯罪者の心の闇や、あるいはネット社会の闇といった、エンタメ作品が好みそうなテーマで視聴者を誘うことはしなかった。他の事件についても同様である。

また、最近の韓国ドラマのようなスリリングな展開や、何度もどんでん返しがされるような複雑な伏線も作らない。サスペンスものを期待した人には物足りないかもしれない。にもかかわらず、全10話を一気に見せるほどのパワーをもっているのはすごいなと思う。やはり大女優キム・ヘスの大立ち回りの効果だろうか。

ヒューマンドラマとしては韓国独特の細やかさもあり、見ていて胸がいっぱいになるシーンもある。たとえば第1話で登場する被害者の少年が使っていた弁当箱は、韓国の幼稚園などで使う定番の形である。また、「トルチャンチ」に使った長寿の糸がお古だった話なども、韓国の母親たちには訴えるものがあるだろう。

韓国では満1歳の誕生日にトルチャンチという祝いの宴をもつのだが、そのときに子どもの将来を占う儀式がある。赤ちゃんの目の前に置かれるペンは勉学、お金は富、糸は長寿。自分の子どもが何をつかんだか、母親はずっと忘れない。

監督も原作者も「このドラマはホームドラマだ」という言い方をしている。犯罪に手を染めてしまう子どもたちの家庭環境や親たちの後悔。見ていてやりきれないのは、本当に気の毒な環境の子どもたちがいることだ。やはり未成年の犯罪者には更生の機会が与えられて当然という思いを強くする。

韓国語の原題は『少年審判』――日韓の法律用語について

ところで、日本語版のタイトルはなぜ『未成年裁判』になったのだろう。

「日本でも少年審判は少年審判なのにね」

法律に近いところで仕事をしている友人に言われて、それはたしかにそうだと思った。それに「少年審判」という言葉は、もとをたどれば日本で生まれた言葉である。韓国と日本の法制度は両国の歴史的な関係もあって重なる部分が多く、法律用語なども同じ意味の「漢字語」が頻繁に使われている。

漢字語とは「漢字での表記が可能な韓国語」であり、たとえば判事、検事、弁護士などはすべて漢字語である。それに対して、ハングルでしか書けない純韓国語もある。日本語も漢語と和語があるので、そこはよく似ている。たとえば食事（シクサ・しょくじ）は漢字語であり、パブ（밥＝めし）は漢字語ではない。韓国の漢字語は中国語などに比べても日本語と共通するものが多く、韓国語学習者は漢字の韓国語発音を覚えてしまうと、習得のスピードが速まる。

日韓両国の言葉に共通する漢字語が多いのは、隣国としての長い交流に加え、近代以降においては日本の植民地支配の影響が大きい。とりわけ法制度に関しては、日本の支配から解放された後の韓国においても、初期の政権は植民地時代の古い法制度をそのまま利用した。

たとえば2005年の民法改正で廃止となった戸主制なども、日本では戦後すぐに廃止されたものが、韓国でむしろ長く使用された。民法だけでなく刑法の姦通《かんつう》罪や堕胎罪なども同様だった。

「少年法」についても日韓には共通する部分が多く、その改正問題に関しても同じような議論が起きている。だからドラマ『未成年裁判』は日本でも十分にリアリティをもって見ることができるし、登場する法律用語の解説もそのまま理解しても差し支えのないものが多い。

代表的なのが「触法少年」、「虞《ぐ》犯《はん》少年」、そして韓国語タイトルとなった「少年審判」といった言葉である。聞き慣れないのは韓国人も同様であり、だから解説字幕付きとなっている。また、法律用語ではないが、ドラマの中に登場する「援《ウォン》助《ジョ》交《キョ》際《ジェ》」という言葉も日韓ほぼ同じ意味で使われている。

一方で、日韓で異なる単語を使う場合もある。裁判所は韓国で「法院」が正式だし、ドラマに何度も登場する少年鑑別所も、韓国では「少年分類審査院」という。またドラマの主役判事の決め台詞である「私は非行少年を憎みます」も、元の韓国語では「私は少年犯を憎みます」となっている。

「少年刑事合議部」という架空の部署

このドラマはフィクションであり、主要な登場人物である4名の判事も、部分的なモデルはいるものの実在の人物ではない。また4名のバックグラウンドや関係性はあまりにも御都合主義的で、一昔前の韓国ドラマ風だと不満をもつ人もいる。好き嫌いは当然あるだろう。

最大のフィクションは、4名の所属先である「少年刑事合議部」が実際には存在しない、架空の部署である点だ。実際のところは、一般的な「少年保護事件」と、検察なども関わる「少年刑事事件」が、同じ場所で裁かれることはない。この件は韓国でも注目されており、ニュース番組にドラマの法律諮問を担当した弁護士が出演して、解説もしていた。

通常、未成年者に保護処分を下すのは、家庭裁判所や地方裁判所の少年部の判事が単独で行います。容疑が重大で満14歳以上の少年犯は少年刑事事件に分類され、地方裁判所の刑事部が担当します。この両者を同時に扱う少年刑事合意部は仮想の法廷です。

（「ヤン・ソヨン弁護士の相談所」２０２２年3月22日、ＹＴＮラジオ　https://www.ytn.co.kr/_ln/0103_202203221148234515）

つまり通常は韓国でも少年保護事件については、日本と同じく判事ではなく調査官が主に調査や聞き取りなどを行い、また審判の場でも判事たちは法服などは着ずに、少年たちが心を開きやすいような雰囲気で行われるという。

わざわざ現実にはない部署を作り、威圧的な法廷で保護事件と刑事事件を一緒に裁くという演出。ストレートにそんな法廷が望ましいという意味でもないだろう。ただ少年犯罪に関しては、保護と処罰を明確に区別すべきではないという思いは伝わってくる。

また、このドラマの4名の判事の少年事件に対する考え方や姿勢は異なっており、その対立がドラマの重要な見どころとなっている。韓国も日本と同じように、未成年者による大きな事件が起こるたびに、「少年法の改正」が話題になる。成人同様の厳罰を望む声や、刑事事件の対象年齢を下げる議論、それらに反してあくまでも保護の原則を貫き、未成年者には更生の機会を与えることを優先すべきだという意見も根強い。専門家の意見も決して一つではない。

厳罰か保護かという二元論的に語られがちなテーマを、ドラマ『未成年裁判』では4人の判事を対立させることで、より俯瞰して見られるようになっている。

判事は「大人として、申し訳ない」と言った

このドラマで印象に残った台詞がある。それは最終回の法廷における部長判事の「大人とし

て、申し訳ない」という一言だ。これは彼女が過去に自分が下した判決（審判）について反省を述べるシーンなのだが、その謝罪が「判事として」とか「法の番人として」ではなく、「大人として」なのである。

この部長判事が5年前に関わった過失致死事件の加害者は、当時11歳の少年だった。少年保護事件ということで裁判はわずか3分で終了。また少年事件は非公開が原則であり、被害者家族は自分の子どもが亡くなった経緯をきちんと知ることもできなかった。

「（あの時の）処分は間違ってなかった」と言う部長判事に対して、部下であるシム判事が詰め寄る。

「部長が教えるべきでした。家庭も学校も誰も叱ってやらずに、気づかせてやらなかった。せめて裁判所だけでも彼らを叱り、教えるべきでした。それが我々の役割ですから」

「叱る」という言葉が実に韓国らしいと思ったが、日本では少し違和感があるのかもしれない。「叱ってやらずに」という部分が、日本語字幕では「反省させなかった」という表現になっていた。この章を書くにあたり、日本の少年法関連の書籍にも何冊か目を通してみたが、「叱る」という言葉は見当たらなかった。それよりも、「少年たちの気持ちに寄り添う」というニュアンスの表現が多い印象を受けた。
その後、少年たちがさらに大きな罪を犯していたことが発覚し、部長判事の気持ちに変化が生じる。少年たちの裁判は検察への逆送となり、その決定を下した後で彼女は冒頭に記したような反省の弁を述べるのである。

「私には判事としての信条が1つあります。その信条とは『私の法廷に感情はない』。それは偏見を持たずに処分を下すためです。しかし遅まきながら、少年事件においては、それではいけないと気づかされました」

ここまでは予想通りだった。韓国ドラマの結末の多くは、主人公と対立する側が反省して、両者が和解することはセオリーだからだ。ところがそれに続く台詞は意外だった。

「ですから私のせいで傷ついた多くの方々に、この言葉を伝えたいと思います。大人として申し訳ない」

韓国語の原文を直訳すると「ごめんなさい、大人として」であり、さらにストレートな謝罪に聞こえる。謝罪の相手は「傷ついた多くの方々」と本人が述べており、彼女の視線の先には過去の事件の被害者家族や、他の判事や調査官たちがいる。ところがその謝罪の言葉が「判事として」ではなく、「大人として」発せられているというのだ。

韓国人が考える、「大人の責任」とは？

文脈からしても不自然である。ところが、さまざまな韓国メディアはこの台詞を「俳優と制作陣が視聴者に伝えたい言葉」としてとりあげており、ドラマの核心部分のようにも語られている。つまり判事という職責以前に、「大人」としてどうあるべきかが重要なのである。

そんな韓国の大人が、みんなで泣いて謝罪するのを目撃したことがある。２０１４年４月の「セウォル号沈没事件」のときだ。ソウル市庁前に掲げられた「ごめんなさい」という巨大な横断幕に外国人は驚いたが、追悼会場でインタビューに応じる弔問者たちは、「大人として、高校生たちに申し訳ない」と語っていた。

韓国で暮らしていると、そんな「大人としての責任」という意識に遭遇することが多々ある。また韓国文学などにもそれを感じることがあり、翻訳家の斎藤真理子さんともよくそんな話をする。たとえば斎藤さんは短編集『まだまだという言葉』（河出書房新社、２０２１年）の訳者あとがきで、著者であるクォン・ヨソンについて次のように書いている。

本書では、大人たちの大人げなさと若者たちの荷の重さの対照も切実だ。「爪」「向こう」「友達」と若い世代の絶望を淡々と描く筆致には、作家の大人としての責任感がにじんでいる。（傍点筆者）

日本では「大人の責任」という言い方はあまりしないようだ。たとえば少年事件などについても、親の責任、教師の責任、本人の責任、あるいは社会の責任という言葉はよく使われるが、「大人」という括《くく》りはあまり聞かない。

日韓では何が違うのか。ヒントのようなものが、ドラマの別の場面にある。第4話でシム判事が、荒れた暮らしで傷ついた少女に向かって言う台詞だ。

「大人に口答えせず、タメグチも使わないこと」
「（大人を見たら）自分から挨拶をする」
「笑えない毎日でも笑顔で過ごす。それで運も開ける」

実際に暮らしてみるとわかるのだが、韓国では年齢による言葉遣いは非常に厳格だ。日本も敬語のある国だし、目上の人には丁寧語を使うのがマナーとなっているが、韓国に比べたらかなりゆるい。

挨拶もそうだ。子どもは大人にきちんと挨拶をしなければいけない。マンションの敷地で近所の子どもたちに会えば、彼らは立ち止まって大きな声で「アンニョンハセヨ」と言い頭を下げる。それが小さい頃から教えられる大切なマナーだ。

韓国では言葉遣いが正しく、きちんと挨拶のできる子どもは、家庭教育の行き届いた子だとみなされる。子どもに敬語を覚えさせるために、赤ん坊や幼児に向かって敬語を使う母親もいるほどだ。

判事がわざわざそれを教えるというのは、親がそれをしなかったから。その子の家庭が壊れていたら、他の大人がそれをしなければいけない。韓国の共同体は大きな家族であり、大人たちみんなで子どもたちを育てるのである。

このドラマを見てあらためて思い出したのは、「長幼の序」という儒教の教えだ。つまり子どもは大人を敬い、大人は子どもを慈しむ。そうすることでコミュニティの秩序は守られる。だから少年審判で判事は感情を無にしてはいけないのだ。愛情をもって、叱ってやらなければいけないのである。

次章では、このテーマで大ヒットしたドラマ『マイ・ディア・ミスター〜私のおじさん〜』をとりあげようと思う。自分たちだって大人になりきれていない困った男たちの物語なのだが、そんな彼らでもやはり「大人」にふさわしい行動をしたいと願っている。

第三章　実は、大人たちの物語
ドラマ『マイ・ディア・ミスター～私のおじさん～』
――坂本龍一やパウロ・コエーリョが絶賛した名作のひみつ

2018年のドラマが、パンデミック下で人気再燃

２０２０年の「愛の不時着ブーム」以来、日本の人たちによく聞かれた。

「次は何を見ればいい？　何かオススメがあれば教えてほしい」

『椿《つばき》の花咲く頃』や『サイコだけど大丈夫』など、当時Netflixで配信されていたドラマなどを薦めつつ、ネタ切れになると韓国人の友人たちに聞いた。その中で何度も出てきたのが『私のおじさん』（邦題『マイ・ディア・ミスター～私のおじさん～』）だった。

２０１８年３月～５月にｔｖＮで放映されたドラマであり、話題作というのには時間が経ち過ぎている。

「でも、あれは本当に韓国社会をリアルに描いていると思う。私は、好きだな」

「私は……」と友人の一人が言ったのは、このドラマは2018年の放映当時に批判も多かったからだろう。

当時の韓国は #MeToo 運動の真っ只中《まただなか》にあり、大物政治家や映画・演劇界の重鎮たちの醜態が次々に暴かれていた。それもあってか、このドラマは放映開始前から「若い女性と既婚男性の恋愛もの」という誤ったイメージが先行してしまった。

予想外の逆風の中で初回視聴率は3・9%と低調なスタート、監督は「とにかく作品を見てくれ」の一点張りだったが、今にしてみれば彼の自信は当然だとわかる。そして実際に作品の全貌が見え始めた頃から、視聴率も盛り返していったという経緯がある。


『私のおじさん』というタイトルが醸し出すイメージに対する反感が大きかった。ところがドラマが最終回に近づくと『人生ドラマ』として推す声が大きくなっていった。

（2019年1月4日付、『文化日報』電子版）


主演は国民的人気歌手IU、おじさん役にはイ・ソンギュン。映画『パラサイト 半地下の家族』での金持ち一家の父親役を記憶している人もいるだろう。

逆転した評価は最終的に、伝統ある百想芸術大賞でテレビ部門の作品賞・脚本賞ダブル受賞となったのだが、ただ初動のダメージは大きかったようだ。ＩＵファンの若者層の視聴率も低調で、イ・ソンギュンなどもインタビューで、放映初期の苦労を語っていた。

そんなドラマがあらためて注目されたのは２０２０年6月、Netflixでの配信が始まってからだった。折しも新型コロナのパンデミック下、全世界でロックダウンや厳しい行動制限がとられていた。いわゆる「巣ごもり」を余儀なくされる中、世界中の人々がインターネット配信の世界にはまっていった。

そんなときに、韓国人にとっては過去の作品である『私のおじさん』が海外で激賞されているという話が伝わってきた。しかもブラジルの作家パウロ・コエーリョや日本の坂本龍一など、世界的な文化人が激賞しているというのだ。

「あのドラマが!?」と驚いた人は、作品を実際に見てまた驚いた。

「こんなにいいドラマだったとは……。はっきり言って名作です」

人気は再燃し、２０２２年3月には台本集が出版された。放映からすでに4年が経過しており、まさに異例のことである。そして私自身もこの韓国ドラマ屈指の名作を再び見直して、韓国の友人たちが絶賛する理由がわかったのである。

ネタバレに注意しながら、ドラマの背景の韓国事情について書いていきたい。まずは誤解の元となった「アジョシ（おじさん）」という言葉、そして舞台となったソウル市内のエリア解説、最後には個人的に印象に残ったシーンなどにも少しだけふれたいと思う。

主人公は「アジョシ」（おじさん）

ドラマは「人生の重みに苦しみながら生きる『おじさん三兄弟』と、恵まれない環境で傷つきながら育った一人の若い女性が、お互いを通じて治癒されていく物語」（NAVERのドラマ紹介）である。

「おじさん三兄弟」というのは主人公である大手建設会社勤めのパク・ドンフン部長（45歳）と、その兄と弟のことである。3人とも高学歴なのだが、兄サンフンは長期失業中で借金まみれ、弟ギフンは売れない映画監督と、いかにも身近にいそうな人々だ。まったくイケていない三兄弟の中で唯一の期待の星がドンフンなのだが、なぜか彼らの母親は夢見るニートの息子たちよりも、この真面目な次男を一番心配している。

そのドンフンの会社にやってきた派遣社員イ・ジアンは、小学校低学年の頃に両親を亡くし、障がいのある祖母と暮らしてきた。いわゆる「ヤングケアラー」なのだが、彼女のような境遇の人は韓国社会では可視化されない。「身近な三兄弟」とは対象的だ。

ジアンは職場にもかかわらず、ドンフンを「アジョシ」と呼ぶ。「アジョシ」という言葉は、韓国で暮らすことがあれば、真っ先に覚える単語の一つだろう。下宿のアジョシ、不動産屋のアジョシ、クリーニング屋のアジョシ等々……、韓国の街はアジョシにあふれている。しかし、会社の上司は「アジョシ」ではない。

「アジョシではなく、部長さんだよ」

社会人1年生のジアンに、ドンフンがそう諭すシーンは印象的だ。

アジョシの意味は日本語の「おじさん」とほぼ同じである。使われ方は大阪の「おっちゃん」に近いかもしれない、と思ったこともあるけれど、映画『アジョシ』（2010年、イ・ジョンボム監督）のウォンビンのような「若くてカッコいいアジョシ」もいる。冒頭に書いたように「私のおじさん」というタイトルに不純なものを感じたという人も多いそうだから、韓国のアジョシはおっちゃんよりはもう少し広範囲に、「大人の男性」全般を指す言葉ともいえる。

いずれにしろ韓国でもアジョシという言葉そのものには性的意味合いは一切ない。ただ、冒頭で述べたように中年男性の性的蛮行が注目された時期だっただけに、早とちりの人たちは「派遣社員の若い女性と上司である部長の不適切な関係。しかも年齢差24歳とは、けしからん！」となってしまった。

ちなみに韓国では年齢に「数え年」が使われることが多い。イ・ジアンは21歳となっているが満年齢では19か20歳。ちょうど成人を迎える年である。つまり法的には「成人」になってはいるが、これから「大人」になっていく年齢といえる。

韓国での「オルン（大人）」の意味

前章で紹介した『未成年裁判』と同じく、このドラマもまた「大人の意味」を問うドラマである。それは挿入歌のタイトル『オルン（大人）』からも明白である。

成人＝大人ではないのは、日本も韓国も同じだ。日本では「大人」という言葉は「大人の男性」「大人の女性」みたいに洗練のニュアンスで使われることが多いが、韓国では社会的責任をともなった存在としての意味合いが強い。韓国における「大人の意味」については、翻訳家の白香夏《ペクヒャンハ》さんが挿入歌『オルン』をテーマに書かれたブログ記事を読んで、さすがだなと思った。後半の「オルンという単語は……」以下に言葉の説明がある。


対象年齢はミドルエイジ以上。尊敬に値する人格の持ち主で、目下のものや守るべきものを守る、責任を果たす、懐の深さを感じさせる、そんな文字通り「立派な大人」を指し

(https://paekhyangha.com/?p=57697#more-57697)

て〝어른／オルン〟と。

しかしながら現実社会では、年齢は立派だけど中身は大丈夫か？という人が、私を含めて多数なので困ったものだ。このドラマにもそんな「年齢だけのオルン」が大量に登場するのだが、それでも困っている若者や子どもを見たときに、自分の中の大人が発動して、それとともに自身も少し成長する。このドラマはイ・ジアンという若者の成長物語というよりも、実は大人たちの成長物語としての側面が強いのかもしれない。

たとえば、ドンフンがジアンの祖母の施設入居手続きを手伝うシーンがある。福祉制度の利用方法を知らずに、というよりも制度があることすら知らずに、ひとりぼっちで苦労してきたジアン。

「そんなことも知らなかったのか」

おじさんは驚くことばかりなのだが、教えてくれる人がいないから知ることもできなかった。福祉が必要な人につながっていないのは、韓国も日本も同じだ。

このときのドンフンといえば、会社の権力闘争と妻との関係でズタボロ状態。それでもジアンの手伝いをすることで少しずつ自信を取り戻していく。「気の毒な子を救ってあげたい」「自分はこの子に比べたら恵まれている」——という気持ちとはまた違う、同情ではなく責任、「大人としての社会的責任」である。社会には大人だからできること、すべきことがある。

名作といわれるドラマだが、導入部はとっつきにくい。サラリーマン社会の権力争いや不倫といった、定番の陰惨な話題が続く。しかも主役の二人は「無口」であり、特にIUが演じる派遣社員イ・ジアンの暗さはぞっとするほどだ。

「ちょっと、つらすぎて」と、第2話で見るのをやめてしまったという人の気持ちもわかる。ただ第4話ぐらいからドラマの人間関係が一気に広がり、第6話からの逆転劇が始まるともう止まらなくなる。最終的には序盤の伏線が明らかになることで、2周目の楽しみができる。

ソウルの南北問題——江南《カンナム》と江北《カンボク》

ドラマの舞台はソウルの中心部を流れる漢江をはさんで南と北に分かれており、ある意味「ソウルの南北問題」を象徴している。

ドンフンは江南にある大手建設会社に、江北にある自宅から地下鉄で通勤している。ソウルの地下鉄は漢江を渡るときには地上に出るため、ドラマでも川を渡るシーンが効果的に用いられている。

韓国で「江南」と「江北」は常に比較対照される。大企業のオフィスが集まり富裕層が暮らす新しい街「江南」。それに対して、旧市街を中心に広がる「江北」は古い街並みが残る庶民の街である。李《り》王朝の宮殿や仁寺洞《インサドン》、明洞《ミョンドン》や南大門《ナンデムン》市場などの観光スポットはこちらにある。

ただ、一つ注意しなければいけないのは、漢江の南側がもれなく「江南」というわけではないことだ。韓国の人々が「江南」と言っているのは、地下鉄2号線の江南駅がある「江南区」、その隣の「瑞草《ソチョ》区」、さらに蚕室《チャムシル》スタジアムがある「松坡《ソンパ》区」という、いわゆる「江南3区」のことである。

ソウル市は全部で25区からなるのだが、この3区はさまざまな意味で突出しており、たとえば3区の財産税（固定資産税）の合計はソウル全体の40％を超えているとか、文字通りの富裕層の街といえる。所得水準、不動産価格、進学実績、さらに選挙の際の政党別得票率なども注目される。

日本でも東京の「山の手」と「下町」、あるいは関西などでも私鉄ごとの沿線イメージに差があるというが、地方出身の私にはいまひとつピンとこない。

ところがソウルに関しては、人々の会話の中から「江南」と「江北」の違いをすぐに知るようになる。これはおそらくソウル市内の南北格差の歴史がとても浅く、また現在進行形でもあるからだ。多くの人々が目撃者であり続けているため、新参者の外国人にも伝わりやすいのだろう。
ソウルは600年以上の歴史をもつ古都だが、その中で江南はとても新しい街だ。1970年代にはまだ広大な田畑と沼地にすぎなかったエリアが、わずか20年ほどで大都市に変貌していった「江南開発」については第一一章で別途とりあげる。

後渓洞はどこにある?

その「江南」に対抗する「江北」の代表選手に選ばれたのが「後渓洞《フゲドン》」である。人々が江南に憧れ、他のエリアも「江南化」していく中で、ささやかな抵抗を試みる後渓洞の人々。それがドラマの隠れたもう一つのテーマである。
後渓洞には主人公のドンフン夫婦が暮らす庶民的なマンションがあり、母親と兄弟が暮らす実家があり、またイ・ジアンと祖母が暮らすサントンネ（山の街）もある。サントンネについては後述するが、ドンフンとジアンは偶然ながら同じ町の住民だった。

「いよいよ江南進出かい?」

後渓洞の人々は冗談半分にそんな台詞も言ってはみるが、実際のところ彼らはめちゃくちゃ地元愛が強い。

街には「ジョンヒの店」という飲み屋があり、みんなのたまり場になっている。ジョンヒはドンフンの同級生であり、学校や地域のつながりの強さが郷愁を誘う。

「ファンタジーですよね。もうソウルにあんな街はない」

韓国の人々はそんな風にも言う。

行きつけの店があって、幼い頃からの友人やサッカーをしていた仲間がいる。

このイメージは日本人にも、特に地方出身者にはわかりやすい。私の実家がある街にもそんな店があって、行けば常連たちが集まっている。

でもドラマが制作された２０１８年のソウルでは、それはすでにファンタジーだったと思う。その思いは新型コロナのパンデミック下でさらに加速する。会社はリモートになり、飲み屋は営業制限の対象になり、リアルに人々がつながる場の多くが失われてしまった。


実際、「後渓洞」は架空の街である。

ただイメージ的にはソウルの北東部、４号線のどこかの駅のような感覚だ。というのも、そこには上渓洞《サンゲドン》、中渓洞《チュンゲドン》、下渓洞《ハゲドン》があるから、ふと「後渓洞」もあったような気がしてくる。その周辺にはいわゆる「下町」があり、ジョンヒの店のような飲み屋も、母親と兄弟が住むような庶民的な家も、そしてジアンが住むようなサントンネがあっても不思議ではない。

でも残念ながら、ジョンヒの店も、母親の家も、サントンネもすべてロケ地はバラバラである。ジョンヒの店とジアンの家の実際のロケ地は、ソウル市内ではなく隣の仁川市である。ドンフンの実家の建物はソウル市内の麻浦区《マポ》に実在するのだが、周辺は高層ビルに囲まれており、下町としての雰囲気は失われている。近年の地価の高騰からすれば、おそらく再開発は避けられない。何年かすれば、ドラマの中にだけ存在する建物になってしまうのだろう。

風景はつぎはぎなのだが、まるで一つの街のように感じる。

架空の街「後渓洞」の中でも、印象的なのは踏切だ。この踏切は麻浦区の隣の龍山《ヨンサン》区にある。かつては韓国でも各地に踏切のある風景があったのだが、最近はとても希少なものになってきた。弘大《ホンデ》入口にも2000年代初頭までは京義《キョンウイ》線の踏切があり、その近くには安くて美味《おい》しい焼肉屋さんが並んでいた。今も「チョルキル（鉄道）」という名前を冠した焼肉屋さんは健在である。また、第一次韓流ブームと言われた時代に、しきりに日本人観光客が訪れた釜山《プサン》海雲台《ヘウンデ》の尾浦《ミポ》踏切も今はなくなってしまった。

韓国で踏切の音は「テンテン」といい、周辺の街は「テンテン通り」とも言われた。その響きを懐かしむ人は多いが、国の政策としては全廃の方向にある。そのほうが安全で効率が良いから。踏切事故はなくなるし、「開かずの踏切」の前でイライラすることもなくなる。でも、人々は失われた風景を懐かしむ。

実は人間関係に不器用な韓国の人々

「タイトルはいっそのこと『フゲドン　サラムドゥリ（後渓洞の人々）』にすればよかった。そうすれば無用な誤解もなかったのに」

韓国の人の感想を聞いて、なるほどと思った。このドラマは「後渓」という、踏切のある街で暮らす人々を丁寧に描いた物語だ。

「私はここが好き。だってみんな負け組だから」

ジョンヒの店で、挫折した元映画監督に向かって女優が言う台詞だ。元映画監督だけでなく、ここに登場する人はみんな社会的には負け組である。唯一、江南の大企業に勤める主人公ドンフンでさえ、会社の権力闘争に負け続けている。

でも後渓洞の人々はみんな優しい。韓国で暮らしたことがあったり、韓国人の友だちがいる人なら、「こういう人いるよね」と苦笑してしまうような、はっきり言って韓国人あるあるの集合体である。

おせっかいだけど、的外れ。不器用だけど、心優しい人々。照れ屋で、自分の気持ちを正直に言えない。一言多い人と、一言足りない人たちばかりだから、いつもすれ違ってしまう。

それにしても、「タプタプハダ」。この韓国語を日本語にするのが難しい。辞書的には「じれったい」「イライラする」「息苦しい」という言葉になるのだが、ここでは「見ているほうが、やきもきする」というようなニュアンスだ。三兄弟をはじめ後渓洞の人々は、みんな人間関係に不器用すぎてやるせない気持ちになる。

思ったことを言えない人たち。周りに気を遣い、気分を害してはいけないと、じっと我慢する人たち。そして、ふといなくなる人たち。

「それは日本人のことじゃない?」「韓国人はもっと率直でストレートじゃないのか?」と言われるかもしれないが、そんなことは決してない。

他のことはともかく、韓国の人々は人間関係についてはとても気を遣うし、実はシャイな人が多いのだ。ドンフンのように自分の気持ちを抑え込む人もいるし、感謝や謝罪の言葉もなかなか言えない人もいる。おそらく、どこの国でも、人々は自分の気持ちを抑えて生きている。人間とはそういうものだろう。

さらにこのドラマでは、激しすぎる家族愛に対して、恋愛関係は恐ろしく抑制的だ。なかでも切ないのはジョンヒの恋である。彼女の恋人だったギョムドクもかつては後渓洞の住民だった。成績優秀で高校時代はドンフンとはトップ争いをしていた。名門大学に進んだのだが、周囲の期待も友人も恋人も、すべて捨てて出家してしまった。ドラマの中では、お寺で剃髪《ていはつ》する彼をドンフンが見守るシーンが出てくるが、ここは非常に胸が痛い。

前著の『韓国カルチャー　隣人の素顔と現在』に書いたドラマ『賢い医師生活』では、医師の一人が神父になりたいと真剣に悩んでいたが、韓国には若くして仏門に入る人々も、また、いるのである。

サントンネ（山の街）とタルトンネ（月の街）

「江南」に対抗する幻想の下町「後渓洞」。ジョンヒの店に集まるのは「負け組」ばかりなのだが、でも勝ち負けのレースにさえ加われない人もいる。それがジアンの存在だ。ジアンの家は後渓洞の「山の街」にある。幼い頃に親を失い、働きながら障がいのある祖母の世話をしてきたヤングケアラー。韓国では彼女のような存在を「少年少女家長」ともいう。

映画『パラサイト』がアカデミー賞を受賞したときに、多くの人たちは映画に登場する「階段」や「上下移動」について語っていた。ポン・ジュノ監督の演出が称賛されることに異論はないが、そもそもソウルとは坂や階段の多い街なのである。

このドラマ『私のおじさん』にも階段は何度も登場する。漢江を渡るシーンがソウルの南北問題を象徴するなら、階段は一つの街の中の階層を上下で表している。同じ町内にありながら山の上に住む人たちがいるのだ。

サントンネの起源は朝鮮戦争と南北分断による避難民の発生が大きく関係している。北朝鮮軍の侵攻によって多くの避難民が押し寄せた釜山はもちろんのこと、戦場となったソウルでも戦後の住宅不足は深刻であり、人々は山の上にまでバラックを建てた。

サントンネはタルトンネとも呼ばれる。月は韓国語でタル。月に最も近い街だからだ。

第1話にとても印象的なシーンがある。入居費滞納を責め立てられたジアンは、寝たきりの祖母を老人施設からベッドのまま連れ出す。家に向かう途中でジアンと祖母は、大きな月を見る。

あのシーンはどこで撮影したのだろう？

あの月の街はどこにあるのだろうか？

麻浦区にあるドンフンの実家は、ソウルの都心にある貴重なロケ地だが、かつてその近くにも大きなサントンネがあった。空港鉄道の駅がある孔徳洞《コンドクドン》ロータリーの東南側、今はサムスンの高層マンションが立ち並ぶ丘は、かつては広大な山の街だった。

ソウル市中心部から汝矣島《ヨイド》に行くとき、左手に見えたあの風景を覚えている人は、40代以上だろうか。90年代半ばまで、サントンネはソウル市内のあちこちにあった。そのせいか、今ほど貧困エリアという印象はなかった。人間味のある街だと、旅の途中でそこを訪れる外国人も多かった。

月のシーンの撮影場所は、調べてみたら「駱山公園《ナクサン》」だということがわかった。駱山は小劇場の街として知られる大学路《テハンノ》の東にある小高い山だ。駱駝《らくだ》の形をしていることから駱山。稜線《りょうせん》は李朝時代から城壁として利用されており、また2000年代になってから一帯が公園として整備された。4号線の恵化《ヘファ》駅から簡単にアクセスできる。

その城壁の下にも広大なサントンネが広がっていた。一部は現在も残っているが、2000年代に入ってからは、韓国政府とソウル市による環境美化アート事業の対象となり、一時期は観光名所のようにもなっていた「梨花洞《イファドン》壁画村」がそれだ。ガイドブックなどでも紹介されており、日本からの観光客も頻繁に訪れていた。

実は、ドラマで二人が月を見た場所から少し南に行くと、東大門《トンデムン》近くには今も貧困エリアが残っている。そこが撮影場所にならなかったのは、本当によかったと思う。環境美化アートのときにも問題になっていたが、そうした地域に社会的関心が注がれることは重要だとしても、観光名所のようになってしまっては意味がないからだ。貧困にしろ富裕にしろ、個人の暮らしは見世物ではない。また、現在は福祉の手がいきわたり、ドラマのジアンのような「少年少女家長」が貧困エリアで暮らすケースはなくなっている。それも含めて「後渓洞」は架空の街であり、「過去の物語」である。

この月のシーンを寓話《ぐうわ》的なものにしているのは、祖母をショッピングカートに乗せてしまうという奇抜なアイディアもさることながら、祖母役のソン・スクの力だろう。カートの中で赤ん坊のようにおくるみに包まれた老女は静かに微笑む。大女優の美しい笑顔は、無音の語り部だ。その笑顔を何度も見たくなる。そして希望は叶《かな》えられる。第5話でこの祖母は、この月の光の中で魔法使いになるのだ。そこからドラマの色合いが一気に変わる。

東アジアで月はとても重要な意味をもつ。なかでも韓国は今も陰暦カレンダーが生きている国で、たとえば陰暦8月15日の満月の日（秋夕）と1月1日の新月の日（旧正月）には、家族が集まって先祖を祀《まつ》る行事や食事などをする。日本の盆や正月と同じく帰省ラッシュとなる。

ドラマの中でジョンヒがジアンに「1年に2回会いましょう」と言うのは、この日のことだ。帰る家や故郷をもたないジアンへの思いやり、同じく身寄りのないジョンヒ自身にとっても、それはとても大きな楽しみになるだろう。人々は互いを必要とするときがある。

印象的だったドラマのシーン

すでに時間を経過した作品でもあり、韓国でも日本でも検索すれば素晴らしい感想がどんどん出ている。いまさら付け加えることもないのだが、個人的に印象に残ったシーンを少しだけ書いておきたい。

第4話

兄のサンフンに恥をかかせ、母親を悲しませたビルのオーナーに対して、ドンフンが殴り込みに行くシーン。日頃から無口で大人しいドンフンが……と驚いてしまうのだが、さらに彼はオーナーと激しい口論の途中で、なんとカバンの中から鈍器を取り出すのだ。これ以上はネタバレになるので書かないが、脚本と演出の巧《うま》さが光る。ドンフンの台詞に三豊百貨店が出てくる。「おまえらのようなビルのオーナーがいるから、三豊のような事故が起きたんだ」

日本語字幕では「ビル倒壊」として、具体的な事故名は省略されているが、これは1995年に起きた三豊百貨店の崩壊事故のことである。500名余りの犠牲者を出した大惨事は、前年の聖水大橋崩落事故に続き、韓国の人々に大きなショックを与えた。崩壊の原因は建物の用途変更をはじめとした数々の不正、安全を軽視した施工主らの違法行為にあった。ドラマ内では詳しくは語られていないが、年齢から逆算すれば事故はドンフンが大学生のときであり、建築構造エンジニアという彼の選択になんらかの影響を与えた可能性もある。

第6話

後渓サッカー会（正式名称は「後渓早起きサッカー会」）は少年チームと練習試合を行うのだが、試合終了後に仲間内で喧嘩《けんか》を始めて大乱闘になる。子どもたちの前で醜態をさらす「ダメな大人たち」なのだが、なかでもダメな三兄弟の長男サンフンは、通報で駆けつけたパトカーから逃げる際に、金網にダウンジャケットを引っ掛けてしまう。

破れたジャケットからはみ出した羽毛が、まるで花吹雪のように周囲に広がっていく。その花吹雪の中を無言で歩いて行く、中年兄弟の後姿が渋い。

そうだ、悪いことは重なるものなのだ。人生うまくいかないときはある。儒教社会で長男という特権階級に生まれても、勉強ができて名門校を卒業しても、何かのきっかけで人生は急降下してしまう。まさにサンフンの口癖である「サーっと急降下」。それでもユーモアを失わない長男サンフンは、愛すべきキャラクターだ。

第12話

残業を終えて、部署メンバーが地下鉄駅に向かって走るシーンがある。その中にはジアンの姿もあり、彼女もともに働く仲間になっていくのがわかる。終電ギリギリで猛然と走るメンバーだが、結局電車に飛び乗れるのはドンフンとジアンだけだ。妻に嫌がられながらも早起きサッカーを続けているドンフン、そしてジアンは履歴書の特技に「かけっこ」と書いていた。

その他にも、ジアンを苦しめる借金取りとの喧嘩でドンフンが「いいか、俺は三兄弟だ」とタンカを切る場面なども印象的だ。あるいはサンフンの夢である、三兄弟がサングラスをかけて高級車に乗って旅する空想のシーン。香港《ホンコン》映画の見すぎなのが、かつての韓国の若者、今の中年男たちだ。

誰が誰によって生かされているか。人はお互いに依存しあって生きている。主人公の「おじさん」だけでなく、実はジョンヒのような存在がどれだけ多くの人を救っているか。そうした後渓洞の人々の中で、ジアンは人に対する信頼を取り戻していき、ドンフンもまた自分の生き方を見直していく。おじさん自身もまた可哀《かわい》そうな人だったことに気づく。

心に残る台詞が多い。ネットで検索すると、韓国でも日本でもいっぱい出てくる。大切にしたい言葉が多すぎるからと、放映から4年目にして台本集も発売された。事前予約だけで1万部を突破、しかも男性が半数以上ということでニュースにもなった。韓国に戻った際にさっそく最寄りの大型書店を訪ねてみたら、とても目立つ位置に2冊組の台本集が置かれていた。

私の好きな台詞はなんだろう？　ここでは、韓国の記事で最も多く見かけた、ドンフンの台詞を一つあげておく。

「君が気にしなければ、みんなも気にしない。君が深刻だと思えば、他人もそう思う。何事も本人次第なんだ。過ぎたことはどうってことない。君がそう思ってれば、そうなる。名前どおり生きろ。いい名前なのに」

（第10話から）

ジアンは漢字で書くと「至安」、もう安心していいから、という意味だ。

第四章　映画でふりかえる「6・25朝鮮戦争」
——映画『ブラザーフッド』『戦火の中へ』『スウィング・キッズ』『高地戦』など

2022年4月に韓国に戻って、最初の週末に巨済島《コジェド》に行った。釜山沖にある韓国で2番目に大きな島。島と言っても陸地からほど近く、海底トンネルを利用すれば釜山から車で1時間ほどの距離だ。名物はトルモンゲという小ぶりのホヤ。普通のホヤが苦手な人でも巨済島のものは美味しいのだという。

巨済島にはかつて大規模な捕虜収容所があった。

最初に行ったのは20年ほど前、当時は釜山港からフェリーで行った。港から内陸に入った山の斜面、広い敷地の中に古い木造の建物がポツポツと残っていた。朝鮮戦争中に17万人もの捕虜が収容されていたという。広大な敷地のほとんどはすでに宅地や農地に戻されていたが、その一部は記念館として残され、2013年にはテーマパークとしてリニューアルされた。

その頃にも一度家族で行ったことがある。有料のVR体験館ができており、なんと共産軍捕虜に拉致されたトッド所長の恐怖を3D体験できるというのだ。「すごいアイディアだな」と驚きながら、実際に体験してみたら本当にすごかった。目の前に次々に現れる武装した共産軍捕虜が、うすら笑いを浮かべながら襲いかかってくる。なんだこりゃ？

あの不思議な体験から10年、再訪の目的は映画『スウィング・キッズ』（2018年、カン・ヒョンチョル監督）のせいだった。少しはまともな解説を書くために、せっかくなら現地でいろいろ確認しようと思ったのだ。

実は以前『日本経済新聞』で『映画で知る韓国現代史』という特集記事を書く機会があった。半世紀余りの歴史を4回の連載で語るというスリリングな仕事。しかも新聞紙面には厳しい字数制限がある。そして、テーマごとに二つの映画をとりあげるというミッション。

なんて膨大なんだろう……。眼《め》の前の海が広すぎて目眩《めまい》がしたが、しかし選択作業をする中で頭の中はどんどんシンプルになっていった。「韓国現代史」という大きなテーマに対し、韓国映画が挑んできたものは何だったのか。監督が選び出し、役者が出演をOKし、一般観客が共感したヒット作のラインナップを見ていると、おのずと時代区分も見えてきた。そうして4つの時代とテーマを決めて、作品を8つ選んだ。

その先は映画を再度見たり、資料を読んだりして執筆を進めるのだが、一番苦労したのが

「朝鮮戦争と南北分断」というテーマの後半でとりあげた、映画『スウィング・キッズ』だった。巨済島の捕虜収容所を舞台にしたこの映画の背景を、800字以内で説明する。

何日もかけて、渾身《こんしん》の800字が完成したのだが、やはりもう少し書きたいことがある。そこで、あらためてこの『スウィング・キッズ』という映画と、その背景にある捕虜問題について考えてみようと思った。

今から73年前の6月25日に朝鮮戦争は勃発した。韓国ではその日付をとって、この戦争を「6・25（ユギオ）」と呼ぶ。

突然始まった戦争（1950年6月）

1950年6月25日、戦争はその日に突然始まり、その日を境にすべての人々の暮らしは一変した。

「忠武路《チュンムロ》の書店で物理と有機化学の本を買って外に出たら、軍のジープが拡声器で叫んでいました。戦争が始まったと」

以前、話を聞いた1930年生まれの老医師は、開戦当時はソウルの叔父のもとで医学部受験の準備をしていたという。北朝鮮の猛攻撃から皆が南へ逃れようとする中、彼は一人北に向かった。

「母親や弟妹たちが心配だったから」

彼の生まれ故郷は38度線のわずかに北。一昼夜走り続けてたどり着いた故郷の村では、若者たちが北朝鮮軍への加入を強制されており、母親は20歳の息子に再び南に逃れろと言ったそうだ。彼は村の若者たちと深夜に海辺に集まり、漁船に乗って南に逃れた。ところが彼はしばらくして今度は韓国軍に徴兵されてしまったのだ。

最近のウクライナの状況を見て、「朝鮮戦争を思い出した」という人はとても多い。70年前の戦争体験者の多くは没年に達したが、記憶の地層を発掘する作業は文化芸術の分野でも続けられてきた。最近、日本語版も出版されたファン・ジョンウンの短編集『年年歳歳』（斎藤真理子訳、河出書房新社、2022年）に、「廃墓」という作品がある。南北を分ける軍事境界線近くの山の中にある祖父の墓を移転する物語なのだが、土を掘り起こすシーンに強い衝撃を受けた。「掘る」とはかくも身体をともなう作業なのだ。

「朝鮮戦争」は韓国映画にとって一つのジャンルであるとともに、民主化後の韓国社会全体にとって最も重要なテーマだった。独裁政権下における「反共プロパガンダ映画」に代わり、朝鮮戦争の真実を見極めようという意欲作の数々は、新たな時代意識の牽引《けんいん》役でもあった。

映画『ブラザーフッド』

その代表作ともいえるのが、1000万人動員の大ヒット映画『ブラザーフッド』(2004年、カン・ジェギュ監督)である。チャン・ドンゴンとウォンビンという当時のトップスターの共演は、折しも第一次韓流ブームに沸く日本でも話題になったが、実際に見た人は肝をつぶした。アイドル映画のようなキャスティングからは想像もできない本格的な戦争映画。そのリアルな描写は韓流ファン以外からも高く評価された。

映画は「開戦の前日」から始まっている。

冒頭シーンは呆《あき》れるほど平和な日常だ。靴磨きで一家を支える兄ジンテと家族の期待の星である弟ジンソク。二人はショーウィンドウを覗《のぞ》き込みながら将来の夢を語る。市場で麺の屋台を切り盛りする母親を手伝っているのはジンテの婚約者ヨンシンだ。二人は結婚を間近に控えており、ヨンシンの幼い弟妹もすでに家族同然となっている。

そんな家族の日常が一瞬にして吹き飛ぶ。

1950年6月25日午前4時、北緯38度線付近で北朝鮮人民軍の砲撃が開始され、30分後には約10万の兵力が38度線を越えた。突然の侵攻に韓国軍は抵抗らしい抵抗もできないまま、3日後には首都ソウルは北朝鮮軍に占領されてしまう。韓国政府(李承晩《イスンマン》大統領)は首都を放棄して南下、ソウル市民もあわただしく避難を始める。

映画の中のジンテ一家もすぐに避難を決めたのだが、持っていく荷物の件で一悶着《ひともんちゃく》する。できるだけ荷物を持って避難しようとする婚約者を、ジンテがとがめる。


「すぐに戻るんだから」

「そんなことがどうしてわかるの?」


カバン一つで避難するウクライナの人々を見ながら、このシーンを思い出したが、その後、映画はさらに現実と交錯する。

「18歳から30歳の男性は前に」と、避難途中の大邱で韓国軍による徴兵が始まる。ジンテは「弟はまだ学生だから」と抵抗するが受け入れられない。二人を乗せた列車は戦場に向かい、家族は引き裂かれる。そこから先はすさまじい戦闘シーンの連続となる。

2004年の公開当時はまだ体験者も多く、映画のリアルは共有された。また長らくタブーとされていた韓国軍側の蛮行も描かれた。その犠牲となったのは多くの民間人だった。戦争はどちらかが一方的に悪かっただけではない。民主化後の映画の役割の一つは、歴史認識の再構築だった。

北朝鮮軍の猛攻撃と後退する韓国軍、洛東江《ナクトンガン》の攻防戦（1950年8月）

北朝鮮軍の侵攻は、まさに破竹の勢いだった。驚いた米国は国連の緊急安保理事会を招集、北朝鮮の侵略行為を非難するとともに、7月には米国主導で「国連軍」（国連旗の使用は認められていたが、実質的には米軍が中心の多国籍軍）を結成した。

その国連軍も北朝鮮の猛攻を前に後退を余儀なくされ、追い込まれた韓国政府は8月には、釜山を臨時首都に制定する（1950年8月18日〜10月26日、1951年1月4日〜1953年8月14日）。

もはや釜山を残すのみ。文字通りの「最後の砦《とりで》」を守るために、韓国軍は洛東江の流域で激しい防衛戦を行う。そのうちの一つである「浦項《ポハン》の戦い」をベースにしたのが、『戦火の中へ』（2010年、イ・ジェハン監督）という映画である。

人気俳優クォン・サンウとBIGBANGのT.O.P（チェ・スンヒョン）の共演。T.O.Pにとっては本格的な長編映画出演は初めてであり、大きな話題となった。それもあって興行的にも大成功、彼は好演が認められて、この年の各種映画祭で新人賞を受賞した。

映画『戦火の中へ』

朝鮮戦争開戦の1950年6月25日から一ヶ月余りが過ぎた8月。北朝鮮軍の猛攻にさらされた韓国軍は、ソウルを失った後もなお敗走を余儀なくされ、最後の砦たる洛東江の戦線を守り抜くため、残る全兵力を投入しようとしていた。

それに伴って浦項から洛東江に向かうことになったカン・ソクテ大尉は、やむなく71人の学徒兵に不在中の守備を託すことになる。しかし北朝鮮軍の冷酷非情なパク・ムラン少佐率いる精鋭部隊が、浦項をめざして電光石火の進撃を開始。

カン大尉から中隊長に任命されたジャンボム、彼と対立する不良少年ガプチョら71人の少年たちは突如として迫ってきた強大な敵軍との命がけの戦いに身を投じていくのだった・・・

（ＴＯＨＯシネマズ公式サイト）

実話ベースの映画であり、ヒントとなったのはこのときに戦死した学徒兵の手紙だった。「お母さん、私は人を殺しました」で始まる母親宛の手紙には、当時中学3年生だった学徒兵の、戦場で感じた複雑な胸の内が、非常にしっかりとした文体で書かれている。

いくら敵とはいえ彼らもまた人であることを思うと、そしてさらに同じ言語と血を分けた同族であることを思うと、やりきれない、重い気持ちになります。
お母さん、戦争はなぜしなければならないのですか？
この複雑でつらい心情をお母さんに伝えれば、気持ちが落ち着くような気がします。
私は怖いのです。
お母さん、私は必ず生きてお母さんのもとに帰ります。

（学徒義勇軍イ・ウグン兵士の手紙から抜粋・拙訳）

同じ民族同士が争うことへの疑問は、当時の若者としては当然だったのだろう。冒頭に書いた老医師も言っていた。
「せっかく日本の支配から解放されたのに、同族に銃を向ける意味がわからず、私は北朝鮮軍の徴兵から逃げたのです」
朝鮮戦争をテーマにした90年代以降の韓国映画の多くが、その疑問を中心テーマにしている
――「我々はどうして戦い続けることになったのか？」

前述した公式サイトの「あらすじ」では、北朝鮮軍の少佐を「冷酷非情」と書いてあるが、実際に映画を見た印象は少し違っている。ネタバレになるので詳しくは踏み込まないが、この

時期の北朝鮮軍は短期間のうちの勝利を確信していたこともあり、北の将校たちの中には同胞の若者たちに対して、大人の振る舞いをした人もいたようだ。

後でとりあげる映画『高地戦』（2011年、チャン・フン監督）の冒頭にも、そんなシーンがある。そこに登場する北朝鮮の将校は、捕虜にした韓国軍の兵士たちを家に帰してしまうのだが、そのときにこう告げるのだ。

「この戦争は1週間で終わる。故郷に隠れて、終戦後に祖国再建に努めろ」

そもそも北朝鮮の金日成《キムイルソン》首相（金正恩《キムジョンウン》の祖父）は、短期決戦のつもりだった。

「我が軍は2週間、長くても2か月以内に朝鮮全土を制圧することができます」

彼はそう言って、共産主義の同志スターリンに武器援助を求めたという。

実際のところ、ソ連から援助された最新武器の威力もあり、開戦から2ヵ月で釜山近郊まで攻め込み、「勝利まであとわずか」となった。しかし、結局、釜山に赤旗が掲げられることはなかった。戦況を一転させたのは、マッカーサー率いる「国連軍」による仁川上陸作戦だった。

このあたりの事情について、映画『仁川上陸作戦』（邦題『オペレーション・クロマイト』２０１6年、イ・ジェハン監督）や『長沙里《チャンサリ》9．15』（２０１9年、クァク・キョンテク監督）などが、日本でも各種配信で見られるようになっている。

『長沙里9．15』は、こちらも学徒兵が主役の物語だ。「国連軍」は仁川上陸作戦の陽動作戦として、長沙里への上陸を敢行するのだが、兵力不足の韓国軍はここでも中高生の学徒兵を緊急動員することになる。この映画でもやはり血を分けた民族同士が争うことに対する、幼い兵士たちの葛藤が描かれている。

仁川上陸作戦と中国軍の参戦（1950年9月・10月）

１９５０年9月15日、国連軍司令官のマッカーサー元帥は約7万人の「国連軍」を、ソウル近郊の仁川に上陸させる作戦に成功した。その後、9月28日にはソウルを奪還、さらに38度線を越えて北上を続け、ついに中国との国境にまで迫ろうとしていた。

北朝鮮と中国との国境には鴨緑江《おうりよくこう》という川が流れている。北朝鮮の金日成から支援を要請された毛沢東は、国境に正規軍を集結させ、さらに中国全土で兵士を募集した。そうして集まった「中国人民志願軍」は総数で約１００万人とも言われるほどの、とてつもない人数だった。そのうち26万人が10月、鴨緑江を越えて北朝鮮内になだれ込んだ。

「国連軍」の名を借りた米軍の本格介入と中国軍の参戦によって、朝鮮戦争の性格は大きく変わってしまう。「共産主義陣営と民主主義陣営」の対決、さらにその「共産主義陣営」におけるソ連と中国というツートップの確執。大国同士のせめぎ合いが、戦争の行方を左右することになってしまったのだ。

予想をはるかに超える数の中国軍兵士に圧倒された国連軍は後退し、せっかく奪還したソウルも手放してしまう。ソウルはこの間、6月28日に北朝鮮軍に占領されたのを皮切りに、9月末に韓国軍が奪還、翌年1月に再び北朝鮮軍へ、その後に韓国軍がさらに奪い返すなど、4回も主人が入れ替わった。

そのために民間人は、戦争以外の大きな犠牲、恐怖と苦痛を経験することになった。たとえば北朝鮮軍に無理やり編入されて前線に送られてしまった若者もいたし、そのことで残された家族が逆に韓国軍からスパイ扱いをされたりもした。朝鮮戦争中に双方で「処刑」された人々は少なくなく、映画『ブラザーフッド』の中でも最も痛ましい悲劇として再現されている。

戦争の長期化によって、兵士と民間人の区別も、敵と味方の区別も曖昧になっていく。作戦室にいる米軍や中国軍の司令官にとって敵は明確だろうが、国土が戦場となった人々にとって第一の敵は戦争そのものだ。戦うのは生きるため、家族を食べさせることが最優先だった。そのためには北朝鮮の旗も、韓国の旗も振ったのである。

巨済島に作られた捕虜収容所（1950年11月）

長引く戦争のせいで、兵士も民間人も疲弊していき、飢餓との闘いを強いられていた。その中で唯一食糧事情に恵まれた場所、それが国連軍の捕虜収容所だった。「共産軍捕虜の皆さん、米国の資本主義はこんなにも豊かですよ」といわんばかりに、捕虜収容所は西側の広告塔の役割を担っていた。映画『スウィング・キッズ』では、その頃の捕虜収容所の豊かな食糧事情が描かれている。

仁川上陸作戦による巻き返しで、一気に捕虜の数が増えてしまった国連軍は大規模な収容所建設を決めた。1950年11月末に巨済島に捕虜収容所が設置されると、各地に分散していた捕虜が1ヵ所に集められた。その数は1951年6月の時点でなんと17万3000人余り！そのうち15万人が北朝鮮軍、2万人が中国軍の兵士とあるが、実際には兵士以外の一般民間人もかなり混じってはいた。それにしても、17万人という数がすさまじい。

自治体並の人口が1ヵ所に集まったら、どうなるか？——自治体ができるのである。特に兵士の場合は階級序列がはっきりしており、組織化は簡単だ。さらに中には朝鮮労働党の党員もいたわけで、政治的な統率力もある。捕虜たちが作った自治組織の中には「裁判所」もあり、米国人の所長が管理する収容所とは別の権力が存在していた。その中核メンバーは収容所内で、米軍を相手に組織的な戦いを展開するのである。

ただし兵士のすべてが、バリバリの共産主義者や反米主義者だったわけでない。むしろ強制的に入隊させられた兵士の中には共産主義を憎悪する者も多く、両者の対立は日に日に激化していった。特に休戦協議が始まった1951年7月以降は、この「親共捕虜」と「反共捕虜」の対立が抜き差しならぬものとなり、多くの犠牲者を出す。それは、「もう一つの戦争」だった。

収容所内のイデオロギー戦争

一般的に、捕虜収容所を舞台にした映画といえば、脱走モノを連想する人も多いだろう。『大脱走』や『戦場にかける橋』など第二次世界大戦後の世界的なヒット作は、ドイツ軍や日本軍が管轄する収容所を舞台に、連合国の捕虜が果敢な脱走を試みる物語だった。ところが巨済島の捕虜収容所で起こった事件は、「脱走」などではなく「戦争」。『スウィング・キッズ』の冒頭に登場する古い米軍フィルムのタイトルは、「巨済島第3の戦争」である。

「第3の戦争」が激化したのは、1951年7月に「休戦協議」が始まってからである。朝鮮戦争が短期決戦にならなかったのは、米軍や中国軍の介入で戦況が複雑化したことが大きいが、さらにこの休戦協議もまた多国間のリーダーたちの思惑がからみ合って、協議開始から締結までに、なんと2年もかかってしまった。この2年間がどれだけ人々に悲劇をもたらしたか、それについては後で紹介する『高地戦』という映画が参考になる。

休戦協議がこじれた最大の理由は、「捕虜の送還問題」だった。「全員送還」を強く主張する北朝鮮と中国、「捕虜自身の意思を尊重しよう」という米国、途中で勝手に3万人の「反共捕虜」を釈放してしまった韓国の李承晩大統領。それぞれの思惑のぶつかり合いで、休戦協議は何度も暗礁に乗り上げたのである。

本来なら捕虜は自分の国への帰還を望むものだ。ところが、この戦争ではそうはならなかった。ここに朝鮮戦争の特殊性がある。

なぜか？　それは朝鮮戦争が、イデオロギーとイデオロギーの戦争だったからだ。

米国の立場では、捕虜が1名でも多く共産主義国への帰還を拒否して、韓国への残留や西側への送還を希望することが「イデオロギー戦、勝利の証《あかし》」となった。逆に北朝鮮や中国にとっては、捕虜が自国への帰還を拒否して西側に行ってしまうのは、実に由々しき事態である。毛沢東などにしても、「プロレタリア国際主義の友愛精神」で隣国の戦いに志願した兵士が、ころっと寝返って西側に行ってしまったら、メンツが丸つぶれである。

そこで共産主義祖国に忠実な捕虜たちは本国の意を受けて、「全員送還」のために収容所内で組織的な活動を行った。彼らは休戦協定で決められた「送還先の希望審査」を妨害し、また

「自由送還」を希望する反共捕虜を狙ったテロ攻撃なども頻発した。『スウィング・キッズ』には、この凄惨な争いが描かれている。

第二次世界大戦後の米ソの理念対立は「東西冷戦」として欧州を二分したが、朝鮮半島では民族を二つに分け、ついに戦争状態になってしまった。冷戦ではなく「熱戦」。その戦争は捕虜収容所の中でも繰り広げられていたのだ。

映画『スウィング・キッズ』

すでに述べたように「朝鮮戦争」は、民主化以降の韓国映画にとって重要なジャンルの一つであり、制作スタイルや技術的なものも含めて、韓国映画界をリードしてきたといえる。時代的ミッションを強く意識した監督と、それに応えた当代の人気スターたちの活躍。多くの映画は興行的に大成功したばかりでなく、映画祭などでもさまざまな賞を受賞してきた。

映画『スウィング・キッズ』もそうなる予定だった。

人気K－POPグループEXOのD.O.が主演、監督のカン・ヒョンチョルは『サニー 永遠の仲間たち』や『タチャ～神の手～』で知られるヒットメーカーだ。前評判はとてもよく、韓国映画の記念碑的な作品になるだろうという期待もされていた。

ところが実際はそうはならなかった。専門家の評価も分かれたが、何よりも興行成績が悪かった。韓国の人々がこの映画に熱狂することはなかった。興行の不振により、映画賞のノミネートからも脱落した。韓国メディアの中には「失敗」と断定する記事もあった。なぜ、そうなってしまったのだろう？

実は私自身も、この映画を最初に見たときには、途中で見続けるのがきつくなってきた。ユーモアは滑っているし、内容がわかりにくい。

ところが日本でネット配信が始まった後に、「大感動した！」という知人が現れて驚いた。悔しくなってもう一度見たら、あらためて監督が描こうとした世界が見えてきた。ちょうどウクライナでの戦争が連日報道されており、そのせいもあったかもしれない。この映画の意味を再び考えるようになった。

そして思ったのは、複雑な歴史的背景を整理すれば、もう少し見やすくなるかも。私自身が理解しやすいような解説を書いてみたいと思った。

「スウィング・キッズ」はダンスチームの名前である。捕虜収容所に新しく赴任した米国人の所長は、対外的なイメージアップのために、捕虜によるダンスチームの結成を命ずる。チームのメンバー構成は多彩で、それが映画の注目ポイントの一つだったのだが、ちょっと無理があったかなと思う。

収容所内にさまざまな背景の人物がいたことは重要だが、あまりにもパターン化しすぎている。この映画の原案ともいえる『ロ・ギス』というミュージカルがあるのだが、そちらはもう少しシンプルな作品になっていた。

ただ登場人物を追加したかった監督の意図は十分理解できる。以下がそのダンスチームのメンバーだ。

米軍下士官、ジャクソン
ブロードウェイ出身のタップダンサー。所長の命令に従い、ダンスチームを結成して指導にあたる。前任地の沖縄に日本人の婚約者がいる。黒人であることから軍隊内でもさまざまな差別を受けている。

北朝鮮軍兵士、ロ・ギス
北朝鮮のイデオロギーをしっかり叩《たた》き込まれており、国家への忠誠心と反米意識は非常に強い人物。しかしジャクソンのタップダンスを偶然見たことで、激しく心を揺さぶられる。隠れてダンスを練習し、ジャクソンへの挑戦を繰り返しているうちに、いつしかスウィング・キッズのメンバーとなる。

中国軍兵士、シャオパン
収容所内にいた約2万人の中国人捕虜のうちの一人。元芸人であり、ダンスもうまい。

民間人捕虜、カン・ビョンサム
避難の途中、乗る車を間違えたために捕虜収容所に来てしまった。生き別れとなった妻と再会するために、ダンスチームのオーディションに応募した。自分が有名になれば、妻を捜し出せるだろうとチームに参加する。

韓国人女性、ヤン・パンネ
家族を食べさせるために、なんとか仕事を得ようと収容所内に出入りしている。戦争中に覚えた英語と中国語を武器にジャクソンに近づき、ダンスチームのメンバーになる。

フィクションにしても、このメンバーを横並びにするのは、かなり無理がある。カン・ヒョンチョル監督が『サニー 永遠の仲間たち』で、それぞれ事情のあるメンバーを横並びで扱ったのは素晴らしいと思ったが、今回はそのせいで散漫になったような気がする。

2万人の中国人捕虜

できればクローズアップしてほしかったのは、中国軍兵士のシャオパンである。当時、収容所内にいた2万人の中国人捕虜は、どういう経緯で巨済島にまで来るに至ったのか？　元芸人と設定されていたが、そういう人がいたとしても不思議ではない。

「朝鮮戦争」という呼び方は英語の「Korean War」にならったものだが、北朝鮮では「祖国解放戦争」、中国では「抗美援朝戦争」（美国＝米国に抗《あらが》い、朝鮮を助ける）という、それぞれの位置づけがある。中国もまた壮絶なイデオロギー戦争（国共内戦）を戦った国であり、北朝鮮を支援する大義はそこにあった。

毛沢東の中国にとって「アメリカ帝国主義は共通の敵」――なのだが、現実の中国は日中戦争から続く国共内戦で疲弊しており、正規軍の投入には限界があった。よって毛沢東の呼びかけで結成された「中国人民志願軍」の中には、役場にあった求人の貼り紙を見ただけで、戦争に行くことを知らなかった人もいたという。１００万人とも言われた中国軍は、一部の精鋭部隊以外は、まさに「烏合《うごう》の衆」だったのだ。

少し前に見た台湾のドキュメンタリー映画『河北台北』（２０１５年、李念修《リニエンシウ》監督）の主人公は、そんな元兵士の一人だった。１９２７年に中国河北省で生まれ、幼いときに父親を殺された後は、故郷の村を逃れて各地を転々としていた。国共内戦では国民党に参加して激戦をくぐり抜け、敗戦後には共産党に転身し、その後に朝鮮戦争に参戦して捕虜となる。休戦後の送還先に中国ではなく台湾を選んだ彼は、その後に一度も故郷に戻ることなく台湾で暮らしている。

中国大陸の出身なのに台湾を送還先に？——選べたのである。休戦協議で散々揉《も》めた捕虜の送還問題は、結局、米国案に近い形となった。北朝鮮や中国への帰還を望む捕虜は優先的に送られる一方で、韓国への残留を望む者、あるいは第三国への出国を望む者は面談を通して希望が受け入れられることになった。

休戦協議の間も、戦争は続いていた

朝鮮半島全域に何度もローラーをかけた戦争は、第二次世界大戦後に最も多くの被害を出した戦争とも言われた。国土の大半が戦場となったことで、特に民間人犠牲者が多く、その数は双方で低く見積もっても２００万人を超えるという。ちなみに太平洋戦争における日本の民間人犠牲者は80万人であり、人口比を考えると朝鮮戦争の壮絶さをあらためて実感する。

中国軍の捨て身の人海戦術に対して、米軍が行った空前絶後の空爆。このとき、朝鮮半島全土に落とされた爆弾は66万９０００トン、太平洋戦争中に日本の空襲に使われた爆弾の４倍にもあたるという途方もないものだった。

おびただしい犠牲を前に、兵士も民間人も疲弊しきっていた。開戦から約1年がたち、38度線付近で戦況が膠着《こうちゃく》する中、米ソで休戦のための秘密交渉が始まっていた。そして1951年7月10日、ついに休戦のための協議が始まった。ところが、これが遅々として進まなかったのは、すでに書いた通りだ。

そこから実際に休戦協定が結ばれるまでの2年、その間も休むことなく戦争は継続していた。特に38度線付近では、両軍がわずかにでも領土を広げようと、山の中でも激しい戦闘が行われていた。

映画『高地戦』が問題にしたのは、この時期の戦争である。つまり休戦という結論は出ているのに、その条件をめぐって各国の思惑がせめぎ合っている。協議は時に中断もされるが、戦争は中断されずに若い兵士たちの命を奪っていく。

もともと演技派で知られる主演のシン・ハギュンはもちろんだが、この映画では彼の大学の同級生役であるコ・スの演技がすさまじい。二人は戦場で再会する。本格的な戦争映画である。

映画『高地戦』

映画は休戦協議のシーンから始まる。広げた地図に米軍の代表が休戦ラインを描き込む。すると北朝鮮軍の代表が「この丘は2日前に我軍のものとなりましたから」と、それを訂正する。

丘の名前は「AERO－K高地」。丘を再び奪い返すため、兵士たちはまた作戦に投入される。そのたびに必ず誰かが犠牲になる。

「協議中であっても、休戦すればいいのに」

映画の中で兵士がつぶやくように、協議が始まった時点で戦闘を一時停止していれば、そこから2年間の甚大な犠牲は防げただろう。なぜ休戦協議が長引いてしまったのか。おびただしい数の若者が犠牲になった責任は、誰にあるのか。

『高地戦』にとても印象的な台詞がある。戦争初期の段階で北朝鮮の将校が、捕虜にした韓国軍の若い兵士たちを「後で祖国に尽くせ」と家に帰してしまった話は、先に紹介した。あの時、彼はもう一言、こんなことを言ったのだ。

「お前たちは何故《なぜ》負けるのかわかるか？　なぜ戦うのかわかっていないからだ」

そしてこの言葉は3年後に、今度は将校自身に向かって投げかけられるのだ。

「なぜ戦うのか?」

『スウィング・キッズ』は、その問いの彼方《かなた》にある「和解」の方法を模索した映画だった。興行的には失敗したかもしれないが、タップダンスの音はよかった。

あの凄惨な収容所内に、響き渡る軽快なリズム。それはフィクションなのだが、不思議なほど希望を感じる瞬間があった。最初はあまりのファンタジーに当惑した映画だったが、それが少し変化したのは、ウクライナの戦争が長引いているからだろうか。

過去はともかく、今なら、70年たった今の世界なら、それは現実を変える力になるかもしれないと、そんなふうにも思いたくなるのである。

第五章　イム・スルレが描く、生きとし生けるもの
──映画『リトル・フォレスト　春夏秋冬』『ワイキキ・ブラザーズ』『提報者～ES細胞捏造事件～』『私たちの生涯最高の瞬間』など

世の中、あんまり明るくない。

重苦しい空気の理由はさまざまだ。仕事のこと、家族のこと、友人関係のこと、あるいは社会や国家のことなど。一見バラバラなのだが、実は見えないところでつながり、影響しあっている。お天気のようなシンプルな例がわかりやすい。スッキリ晴れたら前向きになれそうだとか、逆に激しい雨を見ていたら気持ちが落ち着いたとか。

2022年の春、ちょっと落ち込むことが続いていた。そんなとき、偶然『リトル・フォレスト　春夏秋冬』（2018年、イム・スルレ監督）という映画を見た。原作は五十嵐大介作の日本漫画。映画版はまず日本で2部作が作られて、2015年に韓国でも公開された。それを見た韓国人の映画制作者が「ぜひ韓国でリメイク作品を」とイム監督に懇願し、韓国版が制作さ

れたという。

「映画の製作者が、個人的につらかった時期に偶然その映画を見てものすごく癒やされたと、私に監督の話を持ちかけてきたんです」

（イ・ジンスン著『あなたが輝いていた時』）

ということを、別件で翻訳作業をしていたイム監督のインタビューで知った。翻訳の参考にと、配信サイトを検索してみたら、イム・スルレ作品がいくつかヒットした。そのうちの一つが『リトル・フォレスト　春夏秋冬』だった。

翻訳仕事のかたわら、「ついでに映画も」と軽い気持ちだったのだが、なんということだろう、1本の映画を毎晩のように見ることになってしまった。自分でも驚くようなはまり具合なのだが、連続ドラマを徹夜で完走するのとはまったく違う。疲れたときにちょっと見るだけでもホッとする。まさに「癒やし」の映画だった。

まるで温かな重湯がしみわたるように、身体の内側から癒やしてくれる……

（同前）

インタビュー集『あなたが輝いていた時』の筆者は、そんなふうにイム監督の話し方を表現していたが、上手なたとえだなと思った。映画もまさしくそんな感じだった。これまではヒーリングとか癒やしというものに一切関心がなく、ストレスはスポーツで解消するタイプだった私が……、世の中には不思議な出会いがあるものだ。

この章ではそんな出会いを記念して、映画『リトル・フォレスト』とイム・スルレ監督について書こうと思っている。

日本と韓国では森の色が違う、韓国版『リトル・フォレスト』

プロローグは春、主人公のヘウォン（キム・テリ）が森の中を自転車で走っている。彼女のモノローグから映画が始まる。

ミソン里は米とリンゴで有名な小さな村だ。

村には店がないので、簡単な買い物でも町まで行かなければならない

行ってくるだけで40〜50分以上かかってしまう。

ソウルを離れ久しぶりに故郷に戻ったのは3ヶ月前、冬だった

韓国版を見た後で、先に出た日本版『リトル・フォレスト』（2014年・2015年、森淳一監督）も見たのだが、この導入部分はかなり忠実にリメイクされているのがわかった。日本版でも主人公いち子（橋本愛）が森の中を自転車で走っているのだが、すぐに気づくのは「色の違い」だ。

日本と韓国では森の色が違う。どちらも私には涙が出るほど懐かしい色合いである。日本の濃い緑と韓国の明るい緑。日本の針葉樹の多い湿度の高い森。韓国の広葉樹の多い乾燥した森。それもあって日本では大雨による土砂崩れが多く、韓国では毎年のように山火事の被害がある。2本の映画を見比べるといろいろ気づくこともあり、日韓比較の誘惑にかられるのだが、そこは抑えてなるべく韓国版に沿って話を進めたいと思う。

真冬の雪を踏みしめながら、故郷の家にたどり着いたヘウォンだが、長らく空き家状態だった家には、食べられるものがほとんどない。米びつにはわずかな米があるだけ。そこで彼女は畑に行く。雪の下には冬のはじめに収穫された白菜の切り株が埋もれている。素手で雪の中からそれをかき出し、さらに根っこ部分だけ残されたネギも引っこ抜く。

まずはありあわせのスープ。日本版では料理が順番に出てきて、作り方も丁寧に説明されるが、韓国版はもう少しさり気ない。作るのも重要だけど、食べるのが重要。主人公のヘウォン役にキム・テリという俳優が選ばれたのは、大正解だったと思う。この人が実に美味しそうに食べるのだ。

そもそもヘウォンがミソン里に戻ってきたのは、「お腹《なか》が空《す》いたから」だった。ソウルで食べるものは空腹を満たしてくれない。コンビニでバイトをしながら教員採用試験の勉強をしていた彼女は、家に持ち帰ったコンビニ弁当を一口食べて思わず吐き出してしまう。

空腹だから帰ってきたというのは、嘘《うそ》ではなかった。

美味しい料理とは?

故郷に戻ってきたヘウォンは身近な食材で料理をする。映画には美味しい料理がたくさん登場するのだが、まずは「スジェビ」。日本の「すいとん」にあたる。

寒い日にはスジェビが食べたくなる。(小麦粉を) こねて2時間ほど寝かせなければいけないから、その間に雪かきができる。

布巾の下で発酵している生地。それを手でちぎって、グツグツと煮立ったスープに落としていく。映画では唐辛子入りの赤いスープになっているが、辛くせずに食べる人もいる。特に女性はエゴマ入りのあっさり味を好む人が多い印象だ。韓国の人はスジェビが大好きで、真冬の寒い日もそうだが、季節に関係なく、雨が降るとスジェビを食べるという人も多い。

映画にはスジェビと一緒に白菜のチヂミが登場する。収穫後の白菜から出た手のひらほどのわき芽を、水に溶いた小麦粉にくぐらせてフライパンで焼くだけ。これが実はとても美味しくて、知り合いの在日韓国人で「まさにソウルフード」と言っていた人もいた。お母さんがよくおやつ代わりに作ってくれたそうだ。チヂミといえば韓国料理の定番イメージだが、新鮮な素材なら何でも小麦粉をつけて焼いていい。日本の天ぷらとよく似ている。

次に登場するのはトック（餅）だ。ほうれん草、小豆、クチナシの色合いが美しい、まさにライスケーキという訳語がぴったりの韓国伝統スイーツである。そして自家製マッコリにシッケ、キムチのチヂミと韓国料理が続いていく。

長い長い冬の夜、母はマッコリを作って飲んでいた。
「ヘウォンはシッケ、お母さんはマッコリ、乾杯！」
「乾杯！」

シッケの麦芽は甘いが、マッコリの麹《こうじ》は大人の味だ。

ヘウォンは4歳のときに、家族とともに父親の故郷であるミソン里に移り住んだ。病気療養をしていた父親が亡くなった後も母親（ムン・ソリ）はソウルに戻らず、二人はそのままミソン里で暮らしていた。ところがヘウォンの大学入学試験の数日後、母は短い手紙を残して姿を消してしまった。

映画はそんな「母と娘の物語」でもあり、料理はヘウォンが母親と過ごした日々を回想するためのメタファーになっている。シッケとは米を麦芽で発酵させる韓国の伝統飲料である。市販の缶ジュースなどもあるが、やはり自家製が美味しい。ただし、この母親は特に韓国の伝統にこだわっているわけでもない。

春は桜とすみれのペペロンチーノ、春キャベツのサンドイッチ、お好み焼きのシーンには日本人の我々にも懐かしい削り節が登場する。

「この木を削って上にかけるの」

「おかしいよ、やめて、木はやめて」

ヘウォンは初めて嗅ぐ鰹節《かつおぶし》の香りを記憶する。

色と音が語る、ミニマムでフラットな世界

すべてがミニマムである。

リメイク作品の制作にあたり、イム・スルレ監督が気を遣ったのは映画の長さだという。日本版は「春夏」と「秋冬」の二部作となっており、農作業や料理についてのディテールがかなり長い尺をとって描かれている。そんなゆったりとした流れの日本風は、少しせっかちな韓国の観客には受け入れられにくいだろうと、イム監督は春夏秋冬を1本の映画にまとめることにした。

それによって、いろいろ削《そ》ぎ落とされた。料理も風景も小道具も、そして人間関係も、すべてがシンプルになった。登場人物は主人公と母親、父方の伯母、幼馴染が二人とオグという名の珍島《チンド》犬が1匹。あとは郵便配達人とか、村の人などがワンシーンずつ登場するぐらい。

このシンプルさが韓国版、というかイム・スルレ作品の魅力だと思った。ちょっとムカつく友だちも、小うるさい親戚のおばさんも、どこにもいる普通の人々なのだが、それでいて絶対に欠かせない存在となっている。さらにこの映画がすごいのは、最低限の登場人物たちと肩を

並べる、動物や自然や料理などの存在感。特に驚かされるのは、炊事道具のようなものまでが、まるで演技者のような役割をするのだ。その素晴らしい「演技力」は主に色合いと音で表現されている。色合いは光と、音は人とコラボする。

トントンと菜を刻む音、シャカシャカとかき混ぜる音、ズズズッとすする音、コンコンと沸く音、ゴクンと飲む音。もちろんノロジカや鶏の鳴き声も良いのだが、私たちを元気にしてくれるのは、私たちも知っている身近な「生活の音」である。

実は韓国の人々は、こういった音の世界にとても敏感だ。韓国語は日本語以上に擬音語や擬声語が多い言語であり、おそらく世界一ではないかといわれるほどだ。はるかなる昔から、常に耳を澄まして音を聞き、それを言葉で表現し、文字に書き写してきた人々なのである。

「あの調理の音に癒やされるのかもしれませんね。こねる音、揚げる音、茹《ゆ》でる音、つぶす音」

いつも一緒に作品を見てくれる編集者さんもそう言っていたが、イム監督は本当に小さな音なども実に注意深く拾っている。さらに俯瞰すると、その一つ一つの音が平等に役割を配分されているのがわかる。ミニマムであり、かつフラットな眺め。それでいて音の個性はとても大切にされている。おそらく、これがイム・スルレという人の世界観なのだろう。

それは見るものをホッとさせる。

超競争社会といわれる韓国にありながら、ここでは人間の言葉も、動物の鳴き声も、風の音も、お湯が沸く音も、すべてが等しく存在する。自分も愛犬もお茶碗《ちゃわん》も同じくかけがえのないものとして大切に扱われる。

韓国映画における女性監督の草分け、イム・スルレとはどんな人なのか

イム・スルレとはどんな人なのか？

1961年生まれ、漢陽《ハニャン》大学英文科、同大学院演劇映画科を経て1988年にフランスのパリ第8大学で映画学を学び修士号を取得する。帰国後に制作した『雨中散策』（1994年）が第1回ソウル短編映画祭で最優秀作品賞を受賞して注目を浴びる。

最近の日本では「韓国映画における女性監督」という文脈で語られることが多いイム・スルレだが、初期にはそこはあまり強調されなかったように思う。そもそも1990年代半ばまでは、韓国映画という業界全体が「斜陽」であり、そこでの最大課題は監督の性別よりも、いかに韓国映画がハリウッド作品に対抗していくか。また独立系や低予算映画の監督がいかに頑張れるか。その意味でイム・スルレへの期待はとても大きかった。

長編デビュー作は1996年の『三人の友達』。同じ時期にデビューしたホン・サンスとは年齢も1歳違いであり、韓国版ヌーベル・バーグの担い手として並べて評価されることも多か

った。それは彼らが当時の韓国としては珍しい「海外留学組」だったことも大きい。

たしかに二人の作風は新鮮であり、同世代のカン・ジェギュ（１９６２年生、『シュリ』『ブラザーフッド』）やカン・ウソク（１９６０年生、『公共の敵』『シルミド SILMIDO』）などの「国内組」がブロックバスター級の超大作を作っていくのとは対照的でもあった。

ただ、「海外組」といってもイム・スルレとホン・サンスの育った環境は対照的だ。

ホン・サンスの母親は女帝とまで言われた韓国文化業界のエスタブリッシュであり、経済的にも非常に恵まれていた。一方、イム・スルレは仁川郊外の貧しい集落で育った労働者の子である。家には童話の１冊もないような、文化教養とは隔絶された環境だったという。


「私の父は富平《プピョン》の米軍基地で働く労務者で、近所の人たちもほとんどがそんな土木関係の日雇い労働者で、みんな似たりよったりの暮らしでした。父親たちはいつもお酒を飲んでは暴力をふるい、母親と子どもたちはそれに怯えて。でもそんな貧しい人同士が集まって暮らしていたから、人情味もあったんです」

（イ・ジンスン著『あなたが輝いていた時』）


翻訳をしていたイム・スルレのインタビュー記事には、家に本がなかったから学校図書館に入り浸った話、読書にはまったせいで成績不振となり高校３年で中退した話、その後２年間ほど本と漫画ばかり読んでいた話、遅れて入った大学時代にフランス大使館で見た映画に衝撃をうけて、映画をやりたいと大学院に進学した話、自由に映画を見るためにパリ第8大学に留学した話、そこで映画を1000本以上見た話などが語られていた。

> 思う存分映画を見るためには学校に籍を置かなければならなかった。学校に通ったのはそのためであり、「学位は付け足し」だった。（同前）

イム・スルレに限らず、韓国で活躍する女性たちは華麗な学歴をもつ人が多い。中には経済的に恵まれていた人もいただろうが、「学位を積み重ねるしか自由を得る方法がなかった」という事情もある。それは個々人の環境というよりも、韓国社会全体の状況でもあった。

たとえば同世代の日本人が自由に映画を見るために必要だったのは、仕事やアルバイトをしてお金を稼ぐことだった。お金さえあれば、たいていのことは叶った。でも当時の韓国は民主化以後でも、海外の映画が自由に見られる環境ではなかった。街の映画館で上映されるのは、採算が期待できるハリウッド映画か香港映画だけ。それ以外の事情もあった。

パリ第8大学でのイム・スルレの修士論文は「溝口健二に関する研究」だったが、当時の韓国では日本映画を見ることもままならなかった。日本映画が韓国で解禁されたのは金《キム》大中《デジュン》政権（1998〜2003年）時代に始まった「日本文化開放」以降である。

品位ある挫折感、『ワイキキ・ブラザーズ』

イム・スルレといえば、なんといっても『ワイキキ・ブラザーズ』（2001年）である。ソン・ガンホやパク・チャヌクといった映画関係者だけでなく、パク・ミンギュなどの小説家なども「マイ・ベスト映画」の一つにあげる名作中の名作。2021年には公開20周年にあたっての記念上映会も開かれた。パンデミック下の行動制限によりオンラインではあったが、監督と俳優が参加するトークイベントも行われた。

「ワイキキ・ブラザーズ」はバンド名である。主人公であるリーダーのソンウ（イ・オル）は高校時代に結成したバンドの活動を今も続けているのだが、カラオケの普及や折からの不況で、生演奏の仕事はどんどんなくなっている。メンバーも抜けていく中、故郷である水安堡《スアンボ》の温泉ホテルから専属バンドの仕事が舞い込む。そこで高校時代の同級生や、憧れていた他校の女性ボーカルにも再会するのだが……。

切ない映画だ。フランスから帰国したイム・スルレが見た、故郷韓国の風景はこんなふうに切なかったのだろうと思う。でも、切なさだけが、多くの人々の胸を打ったわけではない。

主人公ソンウを演じたイ・オルは、2022年5月に闘病の末に亡くなってしまったのだが、弔辞にイム・スルレが書いた言葉がとても印象的だった。

「イ・オルが表現した品位ある挫折感と内省的な純粋さ」

私たちが『ワイキキ・ブラザーズ』にこれほどまで感動する理由は、おそらくそこにある。映画の背景にある当時の韓国社会は、国家全体がＩＭＦ危機という大きな挫折を強いられ、国民もそれぞれが自責感にさいなまれていた。右を見ても左を見ても敗残者の群れ。地べたに押し付けられた人々の嘆きや言い訳が充満する社会で、イム・スルレが描いた「品位ある挫折感」。それは、身ぐるみ剝がされた人間の尊厳を称《たた》えたものだった。

映画の後半で、ソンウが酔客に裸にされながらも、一人ギターを弾き続けるシーンがある。イム・スルレの演出はコミカルで、涙が出るほど美しい。

イム・スルレが見出《みいだ》した名優たち、イ・オル、ファン・ジョンミン、パク・ヘイル

この作品が韓国映画史の金字塔ともいえるのは、その後への影響がとても大きかったことがある。作品としての完成度はもちろんのこと、この映画をきっかけに韓国映画と一般観客の関係なども大きく変化したのだ。

映画『はちどり』のキム・ボラ監督は「キム・ボラが選ぶ映画ベスト10」の中で、韓国映画を4本だけ選んでいるのだが、そのうちの一つは『ワイキキ・ブラザーズ』であり、他は『子猫をお願い』(2001年、チョン・ジェウン監督)、『母なる証明』(2009年、ポン・ジュノ監督)、『わたしたち』(2015年、ユン・ガウン監督)というラインナップだ(POPEYE Web https://popeyemagazine.jp/post-66240/)。

この中で『子猫をお願い』と『ワイキキ・ブラザーズ』は同時期の公開作品であり、これに『ライバン』(チャン・ヒョンス監督)と『ナビ』(ムン・スンウク監督、邦題は『バタフライ』)を加えた4本の映画は、当時「ワラナコ運動」という再上映運動を巻き起こして大きな話題になった(ワラナコは4つの映画の頭文字をとったもの)。

これは、作品がいくら素晴らしくても、「有名俳優も出ていない低予算映画だから」と劇場側が上映を渋ったり早々に打ち切ってしまうことに対する、映画ファンによる抗議運動だった。その後には、クラウドファンディングなどを通して、映画ファン自らが制作に関与する動きなども起こった。「ワラナコ運動」に始まる「行動する映画ファン」の存在は、その後の韓国映画の隆盛を支える大きな力となった。

さらに低予算映画を盛り上げることは、埋もれた名優の発掘にもつながっていった。

このときの「ワラナコ運動」の対象となった映画には、後のトップスターたちが勢ぞろいしていた。ファン・ジョンミン、パク・ヘイル、ペ・ドゥナ、さらにリュ・スンボムもいる。なんとも豪華な顔ぶれなのだが、当時はみんなほぼ無名であり、特に『ワイキキ・ブラザーズ』のファン・ジョンミンやパク・ヘイルにいたっては、この作品が実質的なスクリーンデビュー作だった。

二人は当時「大学路の役者」であり、小劇場界隈《かいわい》では名を知られていたものの、映画はチョイ役をもらったことがある程度。本格的な出演は初めてだった。パク・ヘイルは大学路で彼の舞台を見た人の推薦だったが、ファン・ジョンミンにいたっては、オーディション会場につめかけた2000名の一人だった。

ふてくされた顔でドラムを叩いていた、ちょっと太めで愛嬌《あいきょう》のある男。あのドラマー役の男が、その後に韓国映画界を牽引する大スターになると予測した人はいただろうか。

映画『提報者～ES細胞捏造《ねつぞう》事件～』

2022年第75回カンヌ国際映画祭で監督賞を受賞したパク・チャヌクは、「本当は主演男優賞がほしかった」と受賞作『別れる決心』の主演パク・ヘイルをねぎらった。パク・ヘイルといえばポン・ジュノ監督の出世作である『殺人の追憶』や『グエムル―漢江の怪物―』などで高く評価されたこともあり、名監督が好む俳優の一人として知られてきた。

パク・ヘイルはデビュー作である『ワイキキ・ブラザーズ』への特別の思いや、イム・スルレ監督に対する信頼について折にふれて語ってきた。そのパク・ヘイルが主演した映画『提報者～ES細胞捏造事件～』（2014年）は、今、日本の配信で見られる数少ないイム・スルレ作品の一つである。

これは「韓国で最もノーベル賞に近い学者」とまで言われたクローン研究者、ファン・ウソク（元ソウル大学獣医学部教授）をモデルにした映画であり、ES細胞をめぐる論文捏造を暴いていくサスペンス作品である。パク・ヘイルは国民的熱狂を敵に回して真実を追求するジャーナリスト役を演じている。

不正追及型の社会派作品は、韓国映画の得意とする分野であるが、やはりイム・スルレ作品は切ない。なぜ人は間違いを犯してしまうのか。映画は正義のカタルシスではない。

パク・ヘイルはこの映画の出演にあたって「イム・スルレ監督からの依頼なら、もうそれは喜んで」と語っていたが、たとえばムン・ソリなどもイム・スルレ作品の印象が強い俳優の一人だ。

韓国初のスポ根フェミニズム、『私たちの生涯最高の瞬間』

ムン・ソリが主演した『私たちの生涯最高の瞬間』（2008年）は女子ハンドボールの韓国

代表チームを扱ったスポーツ映画で、観客動員400万人を超える大ヒット作となった。韓国でスポーツをテーマにした作品がヒットすることは珍しく、これによってイム・スルレ監督の名前は広く知れ渡ることになった。

この映画はまさに「スポーツ根性もの」である。ただし、サッカーや野球などの花形スポーツではなく、ハンドボールというマイナースポーツの、しかも女子チームという当時の韓国では最も関心をもたれにくい分野の物語だ。子連れの女性が、離婚した女性が、ハンデや偏見と戦いながらオリンピックという世界の頂点を目指していく。個人的には、これはイム・スルレ作品の中では数少ないフェミニズム的な作品だと思う。試合の対戦相手と戦うまでの、そこに至るまでの戦いが熾烈《しれつ》すぎる。出産後にチームに復帰したムン・ソリの役回りがよかった。もう一度見たいなと思う。

イム・スルレ作品をふりかえりながら、デビュー当時のファン・ジョンミンやパク・ヘイル、あるいはムン・ソリといった人々が年齢を重ねていくのを見る。

2023年の旧正月映画として公開されたイム監督の最新作『交渉』には、スター俳優となったファン・ジョンミンが主演として難しい役柄に挑んでいた。アフガニスタンにおける韓国人人質事件を題材にしたこの映画だが、戦場を舞台にしながらも彼の見せ場は派手な戦闘やアクションシーンではない。だから余計に難しい。

「成熟」という表現は人に使うことが多いが、それを逆さまにした「熟成」という言葉はもっと広い意味をもつ。

新型コロナによるパンデミックの2年間は主に日本にいたせいか、このわずかの間にも大きく変化した韓国の都市風景や、容赦なくデジタル化が進行する社会システムに戸惑うことも多い。こんなに急いでいいのだろうか。みんな疲れてしまわないのだろうか。そんなときに見た映画『リトル・フォレスト』の中には、ゆっくりと熟成する時間が描かれていた。

2022年夏、韓国は日照り続きだったせいか、露地のトマトが豊作だ。散歩の途中で寄った市場で真っ赤なトマトをたくさん買い込んで、何を作ろうかと思案する。ゆっくり煮込んでペーストにしたいと思った。暑い夏だから、冷やしてそのまま食べるのが美味しいに決まっているのだけど、頭の中ではゆっくり煮込んでペーストにしていく作業が進行している。

時間をかければ、何か別のものが生まれる。あせらずにゆっくり、ゆっくり。少し寝かしておいてもいいかもしれない。回復していけそうな自信が、少しだけわいてきた。相変わらず、世の中も自分も、いろいろ大変ではあるのだが。

第六章　『子猫をお願い』が描いた、周辺の物語

――猫と女性、仁川と在韓華僑

『子猫をお願い』は２００１年10月に公開された韓国映画だ。監督はチョン・ジェウン、主演はペ・ドゥナ。公開から20年目にあたる２０２１年には、韓国でデジタル・リマスター版も作られ、話題再燃となった。

日本では第一次韓流ブームの真《ま》っ只中《ただなか》である２００４年に劇場公開された。主演のペ・ドゥナ人気もさることながら、「子猫」というタイトルに惹《ひ》かれてレンタルビデオで見たという人も結構いたようだ。

「子猫の映画かと思って軽い気持ちで見たら、びっくり。すごい映画だった。ところで、よくわからなかったのはラストの……」

当時、日本の友人たちとやりとりしたのを覚えている。また最近になってからは、フェミニズム的な視点でこの「女性監督による女性群像劇」に注目する人も多く、論文なども数多く書

かれている。たしかに映画の中の家族関係などは、『82年生まれ、キム・ジヨン』と重なるし、特にペ・ドゥナの「お父さん、殴るだけが暴力じゃない」という台詞は突き刺さる。その意味では、すでに語り尽くされた映画で、何を今さら感もあるのだが、少しだけ付け加えておきたいことがある。

映画は若い女性を主演とした「周辺の物語」と言われてきたが、そのさらに周辺の話を書きたいと思う。当時の韓国で不人気だった猫のこと、そして当時の仁川と在韓華僑《かきょう》のことである。実はこの映画が制作された時期、私自身も完成間近の新空港や在韓華僑の取材などで仁川に通っていた。当時、仁川国際空港はIMF危機の影響もあり、予定通りの開港が危ぶまれていた。デートスポットで知られる月尾島《ウオルミド》のプロムナードには労働者が集められ、漁船に乗って対岸の永宗島《ヨンジョンド》にある空港建設現場に通っていた。

映画の中ではバスで空港に通う様子が出てくるので、あれは2000年11月に橋が完成した後に撮影されたのだと思う。開港は2001年3月であり、監督は「ギリギリで映画に間に合った」と言っていた。映画のラストシーンは仁川国際空港だ。

映画の中心となるのは仁川市内の商業高校を卒業した5人の女性なのだが、そのうちの二人は在韓華僑の双子姉妹であるピリュとオンジョだ。韓国の華僑の歴史は日本ともかなり違うので、それについても書いておきたいと思う。

まずは前半に猫と女性の話を、後半は仁川と華僑の話である。

子猫がリードした「ワラナコ運動」

連載時に、『ワイキキ・ブラザーズ』と「ワラナコ運動」にふれたところ、少なからぬ反響があった。ならば『子猫をお願い』についても書かねばと思った。そもそも運動をリードしたのは、「子猫」だったからだ。

先述のとおり、「ワラナコ運動」とは2001年に韓国で起きた、映画の再上映運動である。作品は素晴らしく、専門家の評価も高いのに、商業的な配給網からはじかれてしまう。そんな映画たちを救おうと立ち上がったのは、映画ファンたちだった。

「子猫を救おう！」

そう、始まりは「子猫」だった。

ネット空間に広がった「子猫救出運動」は、同時期に公開された『ワイキキ・ブラザーズ』へ、さらに『ライバン』、『ナビ』（邦題は『バタフライ』）へと対象を広げ、4作品の頭文字をとって「ワ・ラ・ナ・コ運動」と呼ばれることになった。結果としては、まずはソウルで『ワイキキ・ブラザーズ』の再上映が行われ、その後に『子猫をお願い』も続いたが、そこまでだった。

当時としては、運動の成果は限定的に見えたが、その後の韓国映画の歩みを知る今となっては、この「行動する映画ファン」の決起が、どれだけ歴史的なものだったかがわかる。彼らの行動は映画関係者を動かし、さらに政府も動かした。アート・シアターの建設や助成金制度の誕生は、独立系映画や低予算映画が成功するチャンスを広げ、それは一匹狼《いっぴきおおかみ》や新人監督の活躍につながった。

今や世界的に評価される韓国映画の多様性とダイナミズムの背景には、こんなインタラクティブな芸術運動が存在していたのだ。

さらに特筆すべきは、それが韓国の大衆的民主主義とも深く結びつき、政治的にも大きな力を発揮したことだ。「ワラナコ運動」はインターネットを使いこなす20代の若者の間で大きく広がったのだが、この流れは翌年の大統領選挙におけるリベラル派・盧《ノ》武鉉《ムヒョン》大統領の勝利へとつながっていく。

２００２年の韓国大統領選は「世界最初のインターネット選挙」(『ニューヨーク・タイムズ』)と言われたように、それまで選挙に関心のなかった若者たちが、ネットを通して仲間を広げ、投票行動を盛り上げていった。まさに時代を先取りする政治現象だった。「子猫」は実に偉大なリーダーだったのである。

猫は韓国で嫌われていた？

『子猫をお願い』は、映画が撮影された2001年当時の仁川を舞台にしている。IMF不況からの脱出の兆しが見えかかった時期、それもあってか画面は光と闇のコントラストが鮮烈だ。主人公は地元の商業高校を卒業したばかりの仲良しグループ5人組、それまではいつも一緒だった彼女たちが、それぞれ別の人生を歩み出す。

卒業と同時にソウルの証券会社に就職したヘジュ（イ・ヨウォン）、就職せずに家業のサウナを手伝わされているテヒ（ペ・ドゥナ）、タルトンネと呼ばれる都市スラムで祖父母と暮らすジヨン（オク・チヨン）、在韓華僑の双子姉妹であるピリュ（イ・ウンシル）とオンジョ（イ・ウンジュ）、そして子猫のティティ。子猫は5人をつなぐ友情の証なのだが、当時の韓国で猫のイメージは、今とはずいぶん違っていた。

「猫は神秘的な動物なんだ。家で飼うのはよくないよ。不吉なことが起きるかも」

映画の中でも、のっけからこんな台詞が登場するが、実際に当時の韓国で猫はかなり不人気だった。

「1990年後半にソウルで猫を飼っていたら、韓国の友人たちに気持ち悪いと言われました」

「20年前に日本から猫を連れて韓国に来たときには、韓国の親戚からめちゃ嫌われて。飼うのに反対されまくったので、仕方なく新しい飼い主さんを探したのだけど、韓国人では無理なので在韓の日本人コミュニティで探した」

まさに「猫をお願い」なのだが、こんな話は枚挙に暇《いとま》がない。

逆に韓国の人から聞かれることも多かった。

「日本人はなんで猫が好きなんですか？　食堂などにも大きな猫の置物があるし」

「大きな猫？」

「お金を持っています」

「お金？」

今は韓国人も猫好きになって、「招き猫」は日本旅行の定番の土産になった。

猫の人気と連動する韓国社会の変化

つまり20年前と今とで、韓国における猫の立ち位置はずいぶん変化した。

チョン・ジェウン監督も、２０２２年4月に刊行された『子猫をお願い：20周年アーカイブ』に関するインタビューで、撮影当時の猫をめぐる状況をふりかえり、「スタッフたちの最大のミッションが『猫を探すこと』でした」と語っていた。

当時からペットショップはあったが、そこで売られているのは犬ばかり。そんな「不人気な猫」をあえて監督が選んだのには、もちろん理由があってのことだ。当時の映画紹介記事などを読み返していたら、こんな一節があった。

大部分の人が好きな犬とは異なり、猫は韓国社会で偏見の対象である。その点で5人の主人公と猫はよく似た存在である。

（2001年9月27日付、『東亜日報』）

また、記事ではチョン監督自身の言葉も紹介されている。

野生動物とペットの微妙な境界線上にある猫が、ちょうど家庭の枠を外して社会に出ようとする20歳の女性たちに似ている。

（同前）

一般的には不人気な猫だったが、チョン監督自身は幼い頃から猫を飼っており、その魅力を十分に知る人だった。韓国にも昔から少数ながら猫派はいた。猫をよく知る監督は、その柔軟なイメージを若い女性たちに重ねた。

たとえ世間から疎まれようが、猫のように柔軟に生きようじゃないか。

チョン監督が映画を通して女性たちに届けたかったメッセージは、ペ・ドゥナが演じるテヒというキャラクターに最も力強く反映されている。

ところでペ・ドゥナといえば、『子猫をお願い』の前作である『ほえる犬は噛《か》まない』（2000年、ポン・ジュノ監督）で、日本の映画ファンなどからも高い評価を受けていた。

「犬の次は猫ですか！」

犬猫映画が人気の日本では、そんなことも話題になったようだ。

私は以前から「韓国で猫の人気は、社会の変化に連動している」と言ってきたのだが、よく考えたら犬も同じなのかもしれない。猫の人気が少しずつ高まる以前に、韓国では犬をとりまく状況も大きく変化していた。

『ほえる犬は噛まない』はポン・ジュノ監督の長編デビュー作であり、高層マンションという韓国人の新たな生活空間を舞台にした映画だ。80年代のソウルで本格化した都市再開発と高層マンションの建築ラッシュが、韓国人の暮らしや意識をどう変化させたか、「犬」はそのメタファーとなっている。これについては第一一章でくわしくふれるが、男性であるポン・ジュノ監督の長編デビュー作が「ソウルの犬」で、女性であるチョン・ジェウン監督が「仁川の猫」だったというのは、今からふりかえると非常に感慨深いものがある。

南北分断でどんづまりになった仁川

章の見出しにも記したように『子猫をお願い』は、韓国社会の「周辺部」を描いた作品である。それを象徴するのが、当時は不人気で不吉とまで言われた「猫」であり、それは韓国社会における若い女性のイメージと重なった。なかでも大卒の血統書ももたない野良猫風情は、社会のいたるところで見下されていた。

そして仁川という街。ソウルという中心から外れた周辺部なのだが、遠く離れた地方都市とは違い、通勤圏内のギリギリにある場所。映画ではソウルに強い憧れをもつヘジュを通して、仁川の周辺性が強調されている。なんとかコネでソウルの証券会社に就職したヘジュは、いつか家も引っ越して完全なソウル市民になりたいと願っている。

ただ、私自身は外国人であるせいか、この映画を見るまではソウルと仁川にそれほど違いがあるとは思わなかった。仁川も首都圏だし、なによりも大都市である。人口は約300万人、当時も今も、ソウル、釜山に次ぐ韓国第三の都市である。

ソウルの近くにある港町だし、日本でいえば横浜かな？とも思っていたのだが、それは間違いだった。仁川と横浜はずいぶん違う。横浜は新幹線も停車するし、西から来る人にとっては首都圏の玄関口でもある。ところが仁川は韓国のどこから来ても「ソウルの向こう側」であり、しかもさらにその向こうには何もない、どんづまりなのである。

それは朝鮮半島が分断国家だからだ。

日本の首都圏は位置的にも中心部にあるが、韓国の首都圏はそうではない。北朝鮮まで含めれば、ソウル首都圏は朝鮮半島の中心部になるのだが、南北が分断された現状ではそうはならない。

「仁川は横浜というより埼玉かもしれません。ご当地映画もありますし」

埼玉出身者が言っていたので、そうなのかもしれないが、街の成り立ちがまったく違う。仁川の人口過密は朝鮮戦争と急激な産業化の影響である。

「ヘジュがソウルに憧れる気持ちはよくわかるし、同じように思う若者は多いと思う。でも私はこの映画を見てもっと仁川が好きになった」

そんな声を多く聞いたのは、冒頭に記した「ワラナコ運動」の頃だ。そもそも「子猫救出運動」の発祥地は仁川であり、映画の再上映が最初に行われたのも仁川。運動の先頭に立ったのは「子猫を愛する仁川市民の会」のメンバーたちだった。

チョン・ジェウンが見ていた仁川、その多様性

ソウルに憧れるヘジュに対して、他の4人の視線はバラバラだ。なかでも視線が定まらない

のはテヒであり、その揺らぎが投影される仁川の風景は、20年前でも新鮮だった。それはソウルの人々が知らなかった仁川の風景であり、チョン・ジェウン監督が見せたかった韓国の周辺部の姿だった。

船員募集の貼り紙を見て、海運会社のドアを開けると、中では東南アジア系の船員たちがくつろいでいる。テヒは戸惑うが、ひるまない。

「私も船に乗せてもらえませんか?」

「お嬢ちゃん、俺たちの乗る船は遊覧船じゃないんだよ」

「それは私も知っています」

船員の多くはフィリピン人だろうか。後にはミャンマー人も登場するが、当時、韓国船籍の船で働く東南アジアの人々は多く、仁川や釜山などの港町には彼ら向けのバーなどがあった。テヒはその後に、ジヨンと連れ立って国際旅客ターミナルに向かう。ちょうど中国からの船が到着したのだろう、入国ゲートから巨大な荷物を持った人々があふれ出てくる。この人たちは韓国で暮らす華僑と中国の朝鮮族であり、荷物の中身は唐辛子や小豆といった農産物だ。

「あの人たちはどこから来てどこに行くのかな？」

テヒの声は少し興奮気味だが、ジヨンの関心はそこにない。

ところが、しばらくして万石《マンソク》高架橋の上で出会った女性ホームレスについては、ジヨンのほうが先に反応する。

「いつか自分もあんなふうになりそうで怖い」

「怖くはないけど、時々ああいう人を見ると気になって後をつけてみたくなる。毎日どんな生活をしているのか。でも、自由に暮らせてうらやましいと思わない？」

「自由といえる？　私はそうは思わない。ああしていて、もし何かの事件に巻き込まれたらどうするの？」

現実の貧困に押しつぶされそうなジヨンと、どこかモラトリアムのテヒはすれ違うのだが、若い世代の強みは未来のほうが長いことだ。テヒの視線は国際化する仁川の風景を追いかけながら、同時にジヨンそのものにも注がれる。

テヒが初めてジヨンの家を訪ねるシーンは印象的だ。ロケ地となったのは、仁川の万石洞にあるタルトンネ。ジヨンが祖父母と暮らす家は、天井が崩れ落ちつつあるバラックだった。

一度は消滅したチャイナタウン

ピリュとオンジョは華僑の双子姉妹として登場する。仁川といえばチャイナタウンを思い浮かべる人も多いのだが、今のような大規模なチャイナタウンが造成されたのは、『子猫をお願い』が撮影された2001年よりずっと後のことだ。あの頃の韓国はまだ「世界で唯一チャイナタウンのない国」と言われており、それを屈辱に感じた政府と在韓華僑の一部が「チャイナタウン復活」に乗り出していた時期だ。「復活」ということはつまり、以前にはあったものが、なくなったのである。

映画の冒頭では、DHL（国際宅配便）の大きな荷物を抱えた姉妹が、北城洞《プクソンドン》の坂を上がっているシーンがある。日本語版には「プクソン町（中国人街）」という字幕が挿入されているが、それがなければ日本人にはわかりにくいからだろう。二人が一瞬足を止める場面の背景には、豊美《プンミ》食堂の建物が見える。あの頃、唯一の中国的風景として、メディアなどでもよく登場した場所だ。

双子姉妹は祖父母の家を訪ねる。荷物は中国にいる母親から祖母への贈り物だというのに、祖父の反応はとても冷たい。

「娘などおらん」

「じゃあ私たちのママは一体誰の娘なの？」

「知らん」

韓国語で話す姉妹に対し、祖父は中国語で答えている。移民者の家族ではよくある光景だ。その後、二人は近所にある中華学校の入口で手作りアクセサリーを売る。

このわずか2分ほどのシーンには当時の在韓華僑をとりまく状況がコンパクトにまとめられている。

私が初めてこの街を訪れたのは、映画の撮影の前年、2000年の夏だった。国鉄仁川駅を出て、目の前の坂道を上がっていく。当時、書いたものには「勾配がけっこう急で」とあり、映画でも姉妹が荷物を持って上がるのに苦労していた。

5分も歩けば、もう背後に海が広がる。観光マップにはチャイナタウンの紹介があり、位置は丘の中腹あたりと地図に記されている。ところが、あたりは軒の低い家が並ぶだけ、チャイナタウンらしきものは見当たらない。もっと先かなあと思っていたら、自由公園の中に入ってしまった。仕方なく来た道を引き返し、さらに探すこと小1時間。どうしても見つからないので、縁台でタバコを吹かしている老人に聞いてみた。

「中華街はどこですか?」

「ここだよ」

「ここですか? だって中華料理店もないのに……」

ただの住宅地に見えたのだが、よく見たら赤い灯籠をつけた中華料理店が1軒あった。それが映画にも登場する豊美食堂だった。

「みんな、いなくなったのさ」

老人は昔のチャイナタウンを覚えていた。夕方、船で仁川の港に入ると、丘の中腹の中華街の明かりがキラキラ光って見えたという。そこだけがかたまりのように明るくなっていて、当時の中華街はそれは華やかだったそうだ。

それがいつなくなったのか?

老人の話はさっぱり要領を得なかったのだが、私は豊美食堂のオーナーの韓《ハン》さんから話を聞くことができた。在韓四世である彼は華僑の歴史を最もよく知る人だった。

戦火をくぐり抜けた在韓華僑の歴史

仁川にチャイナタウンが形成されたのは李朝末期、港に清国租界地が設けられた1883年頃だと言われている。当時、租界の中心にあった清館（清国の領事館）は広大で、その周辺には貿易商たちの事務所や住居、さらに彼らのための食堂などもできていた。その多くは対岸の山東省からやってきた人々だった。

そこから先、在韓華僑の歴史には戦争が大きく影響する。まずは移住当初の1894年には日清戦争で清国が敗北し、華僑は後ろ盾を失った。そして1910年の日韓併合を経た後、30年代には日本と中国が本格的な戦争状態となる。

祖国と居住国（この場合は植民地朝鮮である）の戦争は在韓華僑にとっても一大事だったのだが、朝鮮半島は戦場にならなかったこともあり、この時期はむしろ華僑人口が増え続けている。在韓華僑人口の統計上は1942年の8万4000人がピークだが、実際には1940年代には約10万人ほどだったと推測されている（それが2000年当時には約1万8000人にまで落ち込んでしまう）。

1945年8月をもって日本は敗戦するのだが、その直後に中国では国共内戦が勃発する。共産党支配から逃れようとする人々が海を渡って仁川にやってきたため、華僑人口はまたまた増加し、チャイナタウンは賑《にぎ》やかになった。先に記した老人の思い出は、この頃のことかもしれない。

そんなチャイナタウンの繁栄が一瞬にして吹き飛んだのは1950年6月、朝鮮戦争が勃発し、在韓華僑も文字通りの戦火に見舞われた。

仁川にいた華僑たちも韓国人と同じように南へ南へと避難の途についた。しかし9月にマッカーサーが仁川に上陸して形勢が逆転。人々はホッとして家に戻り始めていたのだが、10月には中国軍が鴨緑江を越えて参戦した。華僑社会は大混乱となった。

老華僑たちの話によれば、このときに中国軍は「申し出れば故郷に帰してやる」というおふれを出していたそうだ。一部の共産党支持者はそれに従ったが、残りは再び大邱や釜山で避難生活を続けた。また在韓華僑の中には韓国軍兵士として参戦し、祖国の軍隊と干戈《かんか》を交えた人もいる。

ともに分断国家の国民であり、朝鮮戦争の苦労もともにした韓国人と在韓華僑だったが、韓国政府の政策は一貫して差別的だった。外国人名義の貿易商を認めない、農地や林野の所有を禁止する、さらに朴正熙《パクチョンヒ》政権下の1970年に出された悪名高い「外国人特別土地法」は、なんと「外国人には50坪以上の店舗を認めない」というものだった。華僑には大型店舗の経営は許さないというのだ。

これで見切りをつけた人は多かった。多くの華僑が韓国を離れて、米国や日本に向かった。豊美食堂の韓さんも夫婦で日本に来ていた時期があるし、横浜にはその頃に韓国からやってきた華僑が開いた店が今もある。

1970～80年代に多くの華僑が海外に出てしまい、韓国のチャイナタウンはどこも消滅の危機となった。

中国との国交正常化と在韓華僑

ほぼ壊滅状態だったチャイナタウンが再び注目を浴びることになったのは、中韓国交正常化（1992年）がきっかけだった。半世紀もの間ストップしていた、仁川と対岸の中国の航路が復活し、人や物の行き来が始まった。

「台湾支持」だった在韓華僑は当初、韓国の裏切りに怒ったが、もともとは97％は山東省の出身である。一世たちにとっては半世紀ぶりの故郷訪問が実現したわけだし、中国とのビジネスチャンスを期待して、海外にいた人々も一人、二人と仁川に戻ってきた。

すでに述べたように、テヒが国際旅客ターミナルで目撃したのは、そんな中韓ビジネスの一つの断面だ。

いわゆる「ポッタリチャンサ」（担ぎ屋）は1970年代に釜山と下関や大阪を結ぶ日韓航路

で始まったのだが、１９９０年代に入ってからは仁川と対岸の威海《ウエイハイ》や青島《チンタオ》などを結ぶ中韓航路でも盛んに行われていた。船は毎日大量の人々と荷物を積んで行き来していた。荷物の中身は農作物や衣料品であり、甲板では真っ赤な唐辛子が干されていた。

私がこの荷物の中身を知っているのは、この船に乗ったことがあるからだ。映画の中のテヒは見ているだけだが、私はもう少し大人でパスポートを持っていたから船に乗った。テヒと同じく、彼らがどこから来てどこに行くのか知りたかった。

最初の威海行きの船に乗ったときか、２回目に青島に行ったときか忘れてしまったが、切符売り場で並んでいたら若い女性に声をかけられた。

「もし荷物に余裕があるなら、あれを持っていってほしい。お礼に切符代を払うから」

「あれ」と言われた方向を見たら、巨大な箱が二つもあって、のけぞった。

「大丈夫、荷物は私たちが運び入れるから。パスポートと一緒に税関申告書だけ出してくれれば。麻薬とか怪しいものは入ってないから、安心してください」

なぜかそのとき、彼女が日本人に見えた。だから信用したわけではないのだが、関釜フェリーで見るような海千山千の人々ではなく、まるで友だちのような雰囲気。仲間の男の子たちもそうだったが、どこか韓国人とも違った印象があった。映画にもあったような、ターミナルのすさまじい喧騒の中で、若い華僑たちも「ビジネスチャンス」に体当たりしていた。

映画のピリュとオンジョは手作りアクセサリーを売っていた。『子猫をお願い』について書かれた論文などを読むと、当時の韓国企業には国籍条項があり、在韓華僑には門戸が閉じられていたと書かれている。ピリュとオンジョがアクセサリー売りをしているのはそれを暗示しているのだというが、私がターミナルで出会った華僑の若者たちもそうだったのかもしれない。

ピリュとオンジョの寡黙さで思い出す、在日コリアンの友人

高卒女性ということで差別されるヘジュ、親がいないことで就職差別を受けるジヨン、父親の女性差別的な考えで家業の手伝いをさせられているテヒ。彼女ら3人に比べて、華僑の双子姉妹は寡黙だ。ちなみに韓国の大企業が在韓華僑の人材活用に積極的になり、中華学校の存在が見直されるようになるのは、この映画からしばらく後だ。

二人が多くを語らないのは、「話したところで、韓国人にはわからない」と思っていたからだろうか。あらためて映画を見ながら、今は釜山で暮らしている友人が言っていたことを思い出した。彼女は在日コリアンだが、最近は韓国でビジネスをしている。

「南浦洞《ナムポドン》とかね、子どもの頃に母親に連れて来てもらったから懐かしいんだよね。うん、1970年代。日韓の国交ができてすぐの頃から、母親は日本と韓国を行ったりきたりしていたから。韓国の親戚ともいろいろなビジネスもして、騙《だま》されたりもして大変だった。でも、韓国に

来るのは嫌じゃなかったよ。あちこちで可愛い可愛いと言われたから。その頃の韓国はまだ貧しくて、子どもたちも煉炭《れんたん》の煤《すす》のせいで、顔が真っ黒に汚れていたから。

でも、そういう話を日本の学校の友だちには言わなかった。韓国人であることを隠していたわけじゃないけど、日本人に言ってもわからないと思ったからかなあ。小学校の頃、韓国に行くために初めて飛行機に乗ったけど、それも言わなかった。クラスで飛行機に乗ったことのある子は少なくて、みんな自慢していたんだけどね。学校は大好きだった。まあ家が大変すぎたというのもあるけど、高校の頃は学校にいる時間のほうが楽だった。仲良しの友だちもたくさんいたし。もちろん、彼女たちと自分は違うと思っていたけど」

ピリュとオンジョについて、チョン・ジェウン監督の表現は控えめだ。それでいて必要な説明はされている。たとえば冒頭シーンの二人と祖父母の会話からは、母親が祖父の反対を押し切って、中国でビジネスを始めたことがわかる。それは当時の在韓華僑たちの政治的葛藤と世代間における意識の違いを表している。

そして一つだけネタバレをするなら、子猫は、最後はピリュとオンジョに預けられる。それも意味深いのだが、はたして5人はその後にどうなったのかが気になる。映画公開から20年余りがたった今、あのときの「子猫たち」はどんな人生を歩んでいるのだろう？

第七章　韓国の宗教事情を知る映画

――『シークレット・サンシャイン』『三姉妹』『サバハ』など

旧統一教会（世界平和統一家庭連合）問題の影響で、最近になって韓国の宗教事情について聞かれることが多い。日本と韓国は隣国なので似ているところも多いのだが、ものすごく違う部分もある。その違いの筆頭ともいえるのが、宗教事情だと思う。社会における宗教のあり方、日常での関わりがとても違うのだ。

たとえば旧統一教会についても、韓国では「異端」という言い方がされるが、これは伝統キリスト教から見た判断である。異端認定されると、国内での宣教活動（信者獲得）は難しくなる。

韓国国内における統一教（トンイルキョ、韓国人はこう呼んでいる）の信者数は実際のところ約2万人にすぎないと言われており、これは宗教団体としては決して大きくない。その反面、関連企業や学校経営などを含めた企業グループとしての影響力は強く、専門家の中には以前からその「目に見えない浸透」を警戒する声もある。また他の宗教団体の活動が活発であるがゆえに、相対的に「目立たない」という事情もある。

「宗教百貨店」と言われる国の三大宗教

「韓国はクリスチャンが多いですよね。人口の3分の1と聞きました」

それは韓国に詳しい人にとって周知の事実のようだ。韓国に行けば街のあちこちに教会の十字架があるし、週末礼拝に何万人もの信者が集まるメガチャーチも複数ある。

ドラマにも映画にもクリスチャンはたくさん出てくるし、時にはクリスチャンネームをそのまま使っている人に会うこともある。たとえば、大ヒットドラマ『賢い医師生活』の中でも、特に賢い小児科医アンドレアやその母親のロサなど。彼らのような敬虔《けいけん》なカソリック教徒の信仰態度をリスペクトして受け入れるのも韓国社会である。

また熱心な信者はキリスト教だけに限らない。

是枝裕和監督の映画『ベイビー・ブローカー』(2022年)は、教会が前面に出てくるあたりで、「さすが韓国映画だ」と思った。実は日本でも「赤ちゃんポスト」が置かれた慈恵病院はカソリック系なのだが、運営団体としては病院の印象のほうが強い。

映画の中でベイビーボックスが置かれていたのは「釜山家族教会」となっていた。映画のモデルとなったソウルの教会は知っていたが、釜山にもそんなところがあったのだろうか？

調べてみたら「釜山家族教会」という設定はフィクションであり、釜山のベイビーボックスは他の場所にあることがわかった。ネット検索をしてみたら、釜山中心部からはかなり離れている。たまたま映画を見た5月は釜山にいたので、ぜひ自分の目で確かめようと思い、ルートを検索して最寄りのバスに乗ってみた。天気の良い日だった。

市内を抜けて農村地帯をひたすら走る。少々不安になったのは、まさか、こんな人里離れた場所にベイビーボックスがあるとは思わなかったからだ。ところがしばらくすると、はるか前方に金色の物体が見えてきた。近づくにつれて正体がわかった、大仏だ！　黄金に光る巨大な仏像があるお寺、ベイビーボックスはそこで運営されていたのである。

ソウルでは教会、釜山ではお寺。この棲《す》み分けはわかりやすい。韓国は熱心なクリスチャンが多いことで知られているが、実は仏教徒も負けていない。特に釜山を中心とする慶尚道《キョンサンド》地域は仏教徒の比率が高く、今の時代に大仏建立の気概あふれるお寺もあれば、運転手をすべて仏教徒でそろえた「慈悲タクシー」というのもある。

「お客様に対して慈悲の気持ちで仕事をしています」

思わず合掌しそうになるのだが、たしかにバックミラーに数珠をかけた運転手は釜山のほうが多い気がする。もちろん十字架の人もいる。これは日本の交通安全のお守りとは違う、彼らにとっては信仰の証である。
またソウル駅などに行くと、眼の前に広がる光景はエキゾチックで興味深い。生演奏で賛美歌を歌っているグループ、聖書について大音量のマイクで語る人、無料給食を配るカソリックや仏教のボランティア団体、さらに紺色のハッピを着た天理教の人もいる。
それはまさに「宗教百貨店」という表現がぴったりかもしれない。

韓国における政治と宗教の問題

韓国政府が２０１８年に発行した『韓国の宗教現況』の序文には、その宗教事情を「宗教百貨店」、「宗教市場」と表現した一節がある。なんとなく「信仰の大安売り」みたいなイメージなのだが、決して悪い意味ではないようだ。続く説明では以下のように書かれている。

外国から見た場合、韓国は多民族国家である中国などとは違い、単一民族で構成されながらも多宗教国家であり、多宗教国家でありながらも相互共存がうまくいっていると、注目されている。

では、その宗教百貨店には、どんな宗教が並んでいるのだろう？　以下は韓国政府が集計した２０１５年の宗教人口別の数字（上位）である。

1位　基督教（プロテスタント）　約９７０万人
2位　仏教　約７６０万人
3位　天主教（カソリック）　約３９０万人
4位　円仏教　約8万５０００人
5位　儒教　約7万５０００人
　以下、省略

数字を見れば明らかなように、上位3つが圧倒的に多い。

日本では1位のプロテスタントと3位のカソリックを合わせて「キリスト教徒」と呼ぶこともあるが、韓国では明確に区別されており、両者に仏教を加えた上位3つが「韓国三大宗教」とされている。以前は仏教が1位だったのが、２０１５年の調査で基督教と入れ替わった。

大統領は何か国難に直面した際には、この三大宗教の代表者を招いて協力を請う。宗教指導者たちの影響力は強く、また歴代大統領も自ら信仰を明らかにする人が多かった。たとえば李承晩、金泳三《キムヨンサム》、李明博《イミョンバク》はプロテスタント、金大中、盧武鉉、文在寅《ムンジェイン》はカソリック信者として知られていた。

保守系の大統領がプロテスタントで、革新系がカソリックというのは偶然ではない。そもそも韓国における政治と宗教の深い結びつきは、初代大統領の李承晩が米国帰りのプロテスタントであり、彼が自らの教会勢力を優遇したことに始まる。また江南にある有力教会の長老だった李明博なども、その宗教人脈を国政に積極的に活用したことで知られている。

中央集権のカソリックと違い、プロテスタントは教会がそれぞれ独立して宗派を形成しており、政治家との関係なども小回りがきく。その中には人権運動などに熱心な革新系の教会もあるのだが、目立つのはやはり保守系の教会勢力であり、中には極端な政治的主張を繰り広げる大教会の牧師もいる。

そんな韓国で政治と宗教をめぐる大スキャンダルが発覚したのは2016年、朴槿恵《パククネ》大統領（当時）が新興宗教にはまり、その教祖の娘を政治的なアドバイザーにしていたのだ。民主化から20年が経過した時点で、かつての独裁者の娘が政権の座についたのも驚きだったが、なんと過去の亡霊のような新興宗教関係者が国政に直接影響を与えていた。これは保守系の支持層にまで大きなショックを与えた。人々が「ろうそく革命」といわれる大衆運動をもって、この大問題を断罪したのは世界的に知られるところである。

日本でも政治と宗教の問題は根が深く、旧統一教会との問題が取りざたされる以前にも、大小の宗教団体と政治家個人、あるいは組織的な関連が指摘されてきた。その本格的な検証はまだ始まったばかりである。

韓国政府の報告にもあったように、たしかに韓国には中国のような宗教がらみの民族問題はないし、宗教同士が目に見える形で争っているわけでもない。諸外国から見れば韓国（おそらく日本なども）で多宗教の平和的共存は実現しているように見えるかもしれない。

ただ韓国で暮らす人々にとって、宗教をめぐる葛藤は決して小さくない。だから映画などもそこに果敢に切り込んできた。宗教をテーマにした映画は他の国でも作られているが、韓国の場合はその世界観を肯定的に扱ったものは少なく、常に疑問を呈する形であるのが特徴的だ。

映画『シークレット・サンシャイン』は反キリスト教映画か？

たとえば『シークレット・サンシャイン』（原題『密陽《ミリヤン》』、イ・チャンドン監督）という映画がある。2007年5月の公開直後、映画を見たときには正直驚いた。

「こんな映画を韓国で上映して大丈夫なのだろうか？」

その頃『東京新聞』に『韓流通信』というコラムを連載していたのだが、感情を少し抑えて原稿を書いたのを覚えている。

ディスク内を検索したら元原稿が出てきた。懐かしい気持ちになったのは、そこに共演のソン・ガンホではなく、ペ・ヨンジュンの名前を出しているところだ。時代の変化が感じられる導入部分を再掲しておく。

韓国で今、もっとも話題の映画『密陽』(Secret Sunshine)。カンヌ映画祭で主演女優賞をとったチョン・ドヨンは、韓国でもっとも信頼の厚い女優だ。彼女の作品ならと、映画館に足を運ぶ人も多い。日本ではペ・ヨンジュンと共演した『スキャンダル』が有名だが、あれは彼女らしさがよく見えない映画だ。

『密陽』はシングルマザーである主人公シネ(チョン・ドヨン)が幼い息子を連れて、ソウルから亡夫の故郷、慶尚北道《プクド》密陽に引っ越すところから始まる。生前の夫には他に女がいたらしく、それが彼女の「不幸」の前提となっている。物語の一つ目は息子の誘拐事件だが、それがこの映画のテーマではない。

彼女の「不幸」を慰めようとする教会、ある事件をきっかけに入信する彼女。熱心な信者として活動を始めたが、ある日、神の「裏切り」を知る。

「これは反キリスト教映画なのか?」

当時、カンヌ国際映画祭の会場ではヨーロッパの記者たちから、かなりストレートな質問が出ていた。それに対してイ・チャンドン監督は「宗教ではなく、人間を描いた」と答えていたが、映画の中心に他ならぬ教会活動が置かれていたのは、韓国では教会の存在が日常に浸透しているからである。以前から韓国人によく言われたのは、「この国を本当に知ろうと思ったら、一度、教会に行ってみるべき」ということだった。

幸いなことに、映画『シークレット・サンシャイン』を見れば、教会に行かずして韓国社会の素顔に接することができる。

たとえば、知らない土地で疎外感を覚える主人公に自分を重ねてみる。主人公にはピアノという特技もあるし、自分が強い人間だと信じている。シングルマザーへの偏見が強い田舎町だからこそ、時には虚勢も張ってみるのだが、初めて行った薬局では弱みを見抜かれて、教会への誘いを受けてしまう。もちろん一顧だにしない。しかし、自分の力ではどうしようもない、取り返しのつかない事件に遭遇してしまった後はどうなるか。自分は強いままでいられるのか。やはり何かに救いを求めるのではないか。身近な何かに。

教会が勧誘に熱心な理由

韓国で暮らしていると、身近で宗教の勧誘を受けることはよくある。その多くは新興宗教などではなく、一般的なプロテスタント教会だ。すでに述べたようにカソリックとは違い、韓国の主流であるプロテスタント教会は、それぞれの宗派の牧師が独立して教会を運営している。少しでも自分の教会や宗派の人間を増やしたいため、かなり積極的な勧誘が行われる。『シークレット・サンシャイン』には近所の薬局で勧誘される場面が出てきたが、子どもの絵画教室の先生とか、普通のママ友などからの誘いもよくある。

「とても感動的なお話の動画があるから見てください」

「聖書の勉強会を始めたから参加しませんか？」

ふとしたきっかけで、勉強会に入っていった在韓日本人を知っている。彼女は熱心な信者になり、その一心不乱の祈りは周囲から称賛を浴びていた。

「あなたにも○○子さんを見習ってほしい。彼女もあなたと同じく日本から来たのだから」

映画の中でも、半ばトランス状態になったように、一心不乱に祈る人々が登場している。そこで何かの「救い」を得る瞬間はあるのだろう。ただ、救われたと思った人でも、さらに落とされる。祈りが足りないと言われる。ただし、この映画で描かれたのは、その連鎖ではない。

「神の裏切り」は根源的な部分だった。

また、韓国の教会はスピリチュアルでありながら、極めて世俗的な場所でもある。思いつきで信者になって日曜礼拝の交通整理を引き受けたり、議員に立候補するにあたって急に教会に通い出すような、下心あふれる人々の集いという部分もある。そういった韓国の宗教状況を、イ・チャンドン監督は巧みに表現している。ソン・ガンホの役どころが実に重要である。嘘みたいな本当の話もある。日本から来た友人は、通っていたポジャギ（韓国の伝統手芸）の先生にお金を貸したのだが、なかなか返ってこなかった。

「夫が教会を建てるのでお金がいるんだって……、もうびっくり」

驚くのはよくわかる。日本で「教会を建てる夫」はあまりいないだろう。しかし、韓国では教会を建てる夫も、尼僧用の僧庵をオープンさせる女友だちも身近にいるのだ。

教会の建設や増築には、牧師個人の貯金や信者からの献金を当てる。この夫は、見込んだ献金が足りなかったのだろう。それで妻に借金をさせるのだ。世俗的すぎる。

つまりイ・チャンドン監督が「反キリスト教映画ではない」と言ったのは、こういうことでもあるのだ。テーマは生身の人間であり、それを取り囲む社会のあり方。あくまでも教会は「たとえば」であり、しかしながら「特に」でもある。

イ・チャンドン監督がすごいのは、単なる批判で終わらせないところだ。映画の後半で、タイトルとなった「密陽」という土地の意味が明かされていく。

「密陽は韓国のどこにでもある典型的な地方都市です。そんな平凡な街が詩的な名前をもっていることが、子どもの頃から気になっていました。そこを舞台に、『シークレット・

サンシャイン』を求める人間の、普遍的な運命を描こうと思ったのです」

監督は当時、そんなふうに語っていた。

映画『三姉妹』と二世信者

そのイ・チャンドン監督の名前を、2022年に日本でも公開された映画『三姉妹』（イ・スンウォン監督）の公式サイトで見た。イ・チャンドン監督がこの映画を「非凡な映画！」と絶賛したと書かれていた。『三姉妹』もまた、宗教問題が色濃く反映された作品だ。

主演であるムン・ソリは脚本に感銘を受けて、映画の共同プロデューサーも買って出たという。彼女の演じる次女ミヨンの完璧主義的なキャラクターも、韓国ではある種の典型的な女性像であり、どこかで会ったような既視感がつきまとう。

「ああいう、お母さん、いますよね？」

高級マンション暮らし、熱心な教会活動をしながら、子どもたちに厳しい。

もちろん映画はそれを解体していくのだが、『三姉妹』というタイトルが示すように、彼女一人の問題ではない。彼女には姉と妹がいて、そちらはもう誰がどう見ても悲惨な人生を送っている。

『三姉妹』は2021年10月に韓国で公開された。テーマもさることながら、女優3人の圧倒的な演技力で、この年の映画賞でも大いに注目された。
ネタバレを避けるために、あらすじについては公式サイトから引用する。

韓国・ソウルに暮らす三姉妹。

長女ヒスク（キム・ソニョン）は別れた夫の借金を返しながら、しがない花屋を営んでいる。一人娘のボミは冴《さ》えないパンクバンドに入れあげ、反抗期真っ盛り。元夫からお金をせびられ、娘に疎まれても、〝大丈夫なフリ〟をして日々をやり過ごす。

次女ミヨン（ムン・ソリ）は熱心に教会に通い、聖歌隊の指揮者も務める模範的な信徒。大学教授である夫（チョ・ハンチョル）と一男一女に恵まれ、高級マンションに引っ越したばかり。しかし、夫の裏切りが発覚し〝完璧なフリ〟をした日常がほころびを見せ始める。

三女ミオク（チャン・ユンジュ）はスランプ中の劇作家。食品卸業の夫（ヒョン・ボンシク）と、夫の連れ子である中学生の息子の3人で暮らしているが、自暴自棄になって昼夜問わず酒浸りの毎日。〝酔っていないフリ〟をして息子の保護者面談に乗り込んでしまう。

三人揃《そろ》うことはほとんどない姉妹だが、父親の誕生日会のために久しぶりに帰省し一堂に会することに。牧師様も同席し、祈りが捧《ささ》げられる時、思いもよらぬ出来事が起きる。そして、三人はそれまで蓋をしていた幼少期の心の傷と向き合うことになる――。

最近日本では、女性をテーマにした韓国映画に関心が高まっているようだ。コメントやレビューを見てみても、三姉妹それぞれの悲惨な人生をフェミニズム的な視点で語る内容が多かった。それはもちろん理解できるのだが、実際に映画を見た印象は少し違っていた。

この映画のテーマは宗教問題であり、特に宗教と女性の関係だと思った。すぐに思い出したのは『シークレット・サンシャイン』である。なるほど「イ・チャンドン監督が絶賛」というのも理解できると。たしかに「非凡」なのである。

韓国の宗教人口のうち、女性が占める比率は高い。三大宗教はすべてそうだし、映画の中で長女が遭遇する新興宗教的なものも、やはり女性信者が多い。そこには理由があるはずだ。

過去には儒教社会からはじかれた女性たちが、キリスト教や仏教に居場所を求めたといわれている。では、現在はどうなのだろう？　やはり女性に対する排除や抑圧が背景にあるのだろうか？

かつて教会やお寺は、女性たちにとって「避難所」でもあった。それは精神的な意味だけでなく、実際にアジールとしての機能もあった。冒頭でふれた「ベイビーボックス」なども、その延長線上にある。しかし、避難所は女性にとって解放区というわけではなかった。

この映画で名指しされているのは、韓国のプロテスタント教会に内在する家父長制の問題である。教会は男女の役割分担が明確な場所だが、その独特の保守性が家庭に及ぼす影響もあるだろう。たとえば最近、日本のメディアでもとりあげられている宗教二世の問題。当事者たちのインタビューなどを聞きながら思い出したのは、この映画である。

宗教映画といえば聖書をベースに、キリスト教的な世界を肯定的に扱うものも多いが、韓国の場合はそのタイプの映画は少ない。逆に宗教を批判的に取り扱う秀作が多いのが特徴だ。

映画『サバハ』が描いた、韓国のカルト宗教

最後にカルト宗教についても書いておきたい。映画としては、２０１９年に韓国で公開された『サバハ』（チャン・ジェヒョン監督）が抜群に面白い。主演は『イカゲーム』でおなじみのイ・ジョンジェ。ここでもなかなかコミカルな役柄だ。

主人公は牧師であり、また「極東宗教問題研究所」の所長という肩書きで、新興宗教についての調査研究及び講演等を生業《なりわい》にしている。冒頭で述べたように韓国のキリスト教にとって「異端問題」は重要なのだが、彼がそれをネタに稼いでいるあたりは、生き方としては極めて世俗的というか、かなり胡散臭《うさんくさ》い。

映画の冒頭では彼自身が「異端」と批判した宗教団体から、逆に「お前こそエセ牧師だ」と卵をぶつけられるシーンなどもあり、ホラー映画ながらも楽しく見られる。

主にキリスト教系の異端を調べていた主人公だが、あるときに本気でやばい宗教団体に出会ってしまう。当初は仏教系らしいということで、財力のある仏教団体に話をもちかけてビジネスにしようとするのだが、事態は目先の金儲《かねもう》けどころの話ではなくなっていく。

ホラー・ミステリーというジャンルは苦手な人も多いと思うが、イ・ジョンジェの演技は絶妙だし、特に宗教に興味ある人には大変面白いという。この映画は架空の新興宗教を扱っているのだが、それ以外の韓国の宗教全般についても知ることができる。金儲けに魂を奪われかけたといっても、映画の主人公は「宗教問題研究所の所長」である。彼なりの学問的考察が展開される場面もある。

映画の舞台となっているのは、江原道《カンウォンド》の山間にある小さな農村。まず、登場するのは「ムーダン」（巫堂）、韓国のシャーマンである。

韓国は伝統的にはシャーマニズムが盛んな国だった。これが後のキリスト教の隆盛につながったとも言われており、そのあたりの事情は『キリスト教とシャーマニズム—なぜ韓国にはクリスチャンが多いのか』（崔吉城著、ちくま新書、2021年）に詳しい。

現在の韓国でシャーマニズム（巫俗信仰）は宗教として認められていないが、それでも何かあったときにムーダンに頼る人々はいる。ムーダンの本来の役目は死者を憑依《ひょうい》させて、その魂を鎮めることにあるが、その霊能力はお祓《はら》いや霊知といった場面で期待されることもある。

映画では、牛たちの異変に気づいた村人たちがムーダンを呼ぶ。「クッ」と呼ばれるムーダンのお祓いシーンは本番さながら、とても迫力がある。しかし、その霊能力をもってしても、村で起きている異変の原因を突き止めることはできない。この映画はミステリーとしての部分は非常に緻密であり、謎解きの答えは想像以上に大きな物語になっている。

特に日本の視聴者があっと驚くのは、後半に登場する田中泯《みん》の存在である。制作陣がギリギリまで探しまくったという物語の鍵を握る人物には、なんと日本の役者（超個性的ダンサー）が選ばれた。彼が発するすさまじいオーラもまた映画の見どころである。

この映画の中に、とても印象に残るセリフがあった。教会で「異端やカルト」についての講義をする主人公が、自分の研究団体への「献金」を募る際に、彼はこんなことを言うのだ。

「宗教の自由が必要以上に保証されている韓国で、唯一我が研究所だけがこの問題に取り組んでいます」

もちろん、この問題に取り組んでいる団体は唯一でなく、彼がパワーポイントに献金の振込口座を映し出した瞬間に、講演会を主催した牧師は苦虫を嚙み潰したような顔をする。気になるのは、その前段部分である。果たして、韓国で宗教の自由は「必要以上に保証されている」のだろうか？　日本でも今、宗教団体をめぐって類似の議論が起きている。この問題についてもやはり、韓国を知ることは、翻って日本を知ることになりそうだ。

映画ではないが2023年3月に『すべては神のために：裏切られた信仰』という8部作のドキュメンタリーがNetflixで配信され、韓国国内外で大きな反響を呼び起こした。これは韓国で特に大きな問題となった4つのカルト宗教をとりあげたもので、元信者らの証言や実際の映像など生々しい。

「気持ち悪くなって途中で見るのをやめてしまった」、「なぜこんな教祖についていくのか全く理解できない」という声が韓国でも日本でも聞かれた。でも、そう言いながらも周囲を見渡してみると、実は親族や知人がカルト宗教に関係しているという人も少なくない。私自身も中学時代の同級生が実はオウム真理教に入っていたと聞いて驚いた経験がある。

おそらく日本社会も外部から見れば、かなり謎めいた宗教社会だと思う（いつも事件が起きるまで気づかないのだが）。特に韓国人にとっては、植民地時代に強制された神社参拝の記憶があるし、また天理教や創価学会など日本発の宗教団体も活発に活動している。日本はクリスチャンこそ少ないが、それ以外ではかなり宗教的だと思われている節がある。

とくに韓国では全く人気のない「統一教」が、なぜ日本で影響力を持ち続けているのか不思議だという。ちなみに韓国の地方に行けば、「韓国で暮らす日本女性＝統一教信者」という認識の人もかなりいる。

このドキュメンタリーのプロデューサーであるチョ・ソンヒョン監督は記者懇談会で、「宗教の自由を保障する国である以上、カルト宗教を完全に規制することは難しい」が、「被害者を救出する努力を続けたい」と語っていた。また「元信者を偏見の目で見ることなく、脱退した人々を勇気ある人として尊敬しよう」とも。その呼び掛けには、心から賛同したいと思う。宗教の自由を保障する国は、脱退の自由も保障しなければならない。

第八章　ドラマ『私たちのブルース』
――済州島《チエジユド》、そしてコ・ドゥシムやイ・ビョンホンのこと

『私の解放日誌』と『私たちのブルース』

２０２２年４月９日、韓国で二つの週末ドラマが同時にスタートした。『私の解放日誌』（ＪＴＢＣ）と『私たちのブルース』（ｔｖＮ）。両者とも今の韓国社会の矛盾や、家族や友人関係、人々の心の奥底に深く踏み込んでおり、「２０２２年の韓国の自画像である」と大きな話題となった。韓国人自身が「自画像」と言うのだから、韓国について深く知りたい人には、まさにオススメ作品である。日本でもNetflixで同時配信されたことで、ランキングの上位に並んでいた。

ただ「自画像」といってもいろいろある。笑っている顔を描くのか、泣いている顔を描くのか、あるいは怒っている顔を描くのか。韓国では放映当時から二つのドラマについてたくさん

のレビューが書かれたが、二つの作品を比較評価したものなどは、そのコントラストに注目していた。「私」と「私たち」、「解放」と「再会」、「ソウル首都圏」と「済州島」。視聴者の年齢に関しても『私の解放日誌』が20～30代の若い世代でブームとなったのに対し、『私たちのブルース』は上の世代まで広範な年齢層を巻き込んだ。

『私の解放日誌』はソウルまで通勤ギリギリの首都圏の田舎で暮らす若者が、家族や会社などのしがらみから自由になろうと奮闘する物語。一方、『私たちのブルース』は済州島を舞台に、傷ついた個人が地域のコミュニティの中で再生する物語である。

私自身は韓国のテレビで両方同時に見始めて、『私の解放日誌』にはすっかりはまってしまったが、『私たちのブルース』のほうは途中で挫折してしまった（理由は後ほど）。でも、しばらくして周囲の評価、特に日本の人たちの称賛ムードに押されて、視聴を再開することにした。今度はNetflixで最初からじっくり見直しながら、済州島の自然と人々が織りなす美しい風景に、どんどん引き込まれていった。

パンデミック下の厳しい行動制限で鬱屈した社会的雰囲気の中、みんながマスクをして家にこもっていた時期に、よくもこんなに美しいドラマが作れたものだ。そして超豪華といわれたキャストの絶妙な配置。特にイ・ビョンホンという、当代のトップスターのすごさをあらためて実感することになった。

そこで本章ではドラマ『私たちのブルース』をとりあげることにした。まずは、なぜ私が途中で挫折してしまったのか、また後半ではイ・ビョンホンという俳優個人についてふれたいと思う。

韓国人にも難しい済州島の言葉

途中で挫折した最大の理由は、「済州島言葉」である。韓国も日本と同じく、地方ごとに豊かな土地の言葉「方言《バンウオン》」がある。たとえばドラマやバラエティなどによく登場するのは釜山などを含む慶尚道の言葉である。高低差の激しい抑揚は独特で、外国人でもわりと区別しやすい。さらに母音の数が少なく、子音も濃音が平音になったり、むしろ日本人にとっては標準語より習いやすいという人もいる。

ただテレビや映画に出てくる慶尚道言葉と違って、実社会では何を言っているのかわからずに困惑することがある。以前、馬山《マサン》に行ったときに、タクシーの運転手さんの言葉が早口すぎて理解できず、韓国人の友だちですら「ここは韓国語が通じない」と嘆いていた。

しかし最難関は済州島の言葉である。こちらこそ「まるで外国語」と言われるほどで、地元の人同士の会話は韓国の人々でも理解できないと言われてきた。本土（済州島の人は陸地という）から離れた島の言葉は、独自の長い歴史の中で独自の単語や話法を維持してきた。もちろん、私たちが行けば標準語で話してくれる。標準韓国語と済州島言葉の関係は、標準日本語と琉球語の関係と似ているという人も多い。

前置きが長くなってしまったが、私がドラマの視聴に挫折したのは、この済州島言葉のせいだった。意味はわかるのだが、文字で書きおこせない。私は後の仕事のために、ドラマや映画を見ながら、印象に残った台詞をノートにメモ書きするのだが、『私たちのブルース』ではそれができなかった。若い世代の言葉は大丈夫なのだが、このドラマには高齢世代も登場する。なかでも海女《ヘニョ》のリーダー、チュニおばさん役のコ・ドゥシムは済州島出身であり、彼女の早口の台詞はもう完全にお手上げだった。

「戻して見たい」

思わず、テレビのリモコンをつかんだが、正規放送ではそれもかなわない。後から配信で見るしかないなと、オンタイムでの視聴を断念したのである。

コ・ドゥシムは長らく韓国で「国民のお母さん」とも呼ばれてきた大女優だ。１９５１年済州島生まれ、済州島女子高校を卒業後、ＭＢＣテレビのタレント公募に合格してデビューした。済州島が舞台の『私たちのブルース』で、コ・ドゥシムは唯一の済州島出身、ネイティブ・スピーカーである。

「他の俳優さんたちが方言に苦労した中で、そこは楽だったのではないですか？」

朝の情報番組でゲスト出演した彼女に、司会者はそんな質問をした。

「でもキャストの中で済州島出身者は私だけ、本気を出したら浮いてしまうから、そこはちょっと手加減したんです」

なるほどチュニおばさんは、あれでもやはり他の共演者のためにわかりやすく話していたのだ。

済州島のアイデンティティ、「サムチュン」とは？

さて、このチュニおばさんは、ドラマの中では「チュニ・サムチュン」と呼ばれていた。この「サムチュン」という言葉が、ドラマの中では最も重要な済州島方言である。重要だから第1話と第2話の両方で、画面の脇に韓国語の字幕解説が出ていた。

「サムチュン（サムチョン）：男女の区別なく年配者に対する、親しみをこめた呼称」

つまり女性なら○○おばさん、男性なら○○おじさんといったニュアンスだ。
わざわざ字幕解説が入っていたのは、標準韓国語で「サムチョン」は、父親の独身の兄弟や母親の兄弟、つまり「男性親族」を指す言葉だからだ。漢字で書けば「三寸」（参考までに、いとこは「四寸〈サチョン〉」）。ところが済州島では血縁関係も性別も関係なく、目上の人に対しては親しみをこめてみんな「サムチュン」と呼ぶのだという。

韓国は長い儒教的な伝統があり、親族名称における男女の区別は厳格である。親族以外の目上の人に対しても、男性なら「アジョシ」、女性なら「アジュンマ」と区別される。これは日本の「おじさん」と「おばさん」と似たようなニュアンスだ。実際の血縁関係がなくても親しみをこめて親族名称が使われることもあるが、その場合でも性別は超えない。ところが、済州島の「サムチュン」は、男女の区別なく使用される。

これは一般の韓国人にとっても意外な使い方だし、性別にがんじがらめな言語習慣の中では、ものすごく新鮮な響きでもある。ドラマ『私たちのブルース』は、この「サムチュン」という言葉に済州島のアイデンティティを求めているようだ。血縁も性別も関係なく、サムチュンを敬い、やがて自分も敬われるサムチュンになる。ドラマはこの言葉を通して、共同体の死生観を再構築している。

もちろん韓国人全員が解説字幕を必要としたわけではない。すでに済州島のサムチュンの意味を知っている人も多いし、この言葉を聞いて『順伊《スニ》サムチョン』という有名な小説を思い出した人もいる。ドラマの放映が始まった頃、オンライン上にはその小説やそこに登場する４・３事件（米軍政下の済州島で起きた民衆蜂起。徹底した武力鎮圧により島民に多くの犠牲者が出た）に関する書き込みがあり、「ああ、やはり」と思った。

この小説は日本でも『順伊おばさん』というタイトルで翻訳書が出ており、オールド韓国文学ファンの中には読んだ人も多いだろう。訳者は『火山島』などの著作で知られる金石範《キムソクポム》。97歳の今も、現役作家として済州島についての物語を書き続けている。

『順伊サムチョン』は韓国で１９７８年に単行本になった直後、出版停止になったことがあるという。斎藤真理子著『韓国文学の中心にあるもの』（イースト・プレス、２０２２年）によれば、当時はタブーとなっていた４・３事件にふれたことで、著者である玄基榮《ヒョンギヨン》はＫＣＩＡ（中央情報部）に引っ張られて拷問もされたという。

ドラマの本筋ではないのでここで止めておくが、「済州島を舞台にしたドラマ」といったときに、韓国人の中にはこうした現代史の事件を真っ先に想起する人もいる。そのことは日本でドラマを見る人たちも、知っておいたほうがいいと思っている。

ちなみにこの事件をテーマにしたドキュメンタリー映画の傑作が日本にある。２０２２年に公開された『スープとイデオロギー』は、ヤン・ヨンヒ監督自身と済州島出身の母親が、最晩年に明かされた家族の秘密をたどる旅である。金石範や前著でとりあげた金《キム》時鐘《シジョン》といった元老作家をはじめ、済州島をルーツにもつ「在日」の人々は日本の私たちの身近にもいて、ともすれば韓国とはまた違った角度から島の歴史や日本との関わりを紹介してくれている。

『私たちのブルース』にもさまざまな理由で家族を失った人々が登場する。済州島の暮らしがどれほど厳しかったか、それを表現するタッチは、驚くほど粗い。そのザラザラとした質感は意図的なものだろう。その一方で、空も海もブルーの色は明るい。済州島ブルーが広がっている。

島を出たハンスと、残ったウニ

このドラマは済州島を舞台にしたオムニバス形式のドラマで、主な登場人物14人が主役を入れ替えながら、全20話をリレーしていく。中心となる物語は8つだが、「私たち」というタイトルにあるように、いずれも人と人の関係性が主語になっている。

たとえば第1話の「ハンスとウニ」は初恋の人との再会物語だ。二人は済州島にある高校の同級生だったが、卒業後にハンスはソウルの大学へ進学、両親を早く亡くしたウニは弟たちのために地元に残って働いた。

ドラマはそのハンスが勤めている銀行の支店長として故郷に単身赴任するところから始まる。もうすぐ50歳という年齢。ウニは初恋の人との再会に胸を躍らせるのだが、ハンスはそれどころじゃない深刻な家庭問題を抱えていた。

ウニ役には映画『パラサイト』のお手伝いさん役などで知られる個性派女優イ・ジョンウン、ハンス役には往年の二枚目俳優チャ・スンウォン。いきなり大物登場なのだが、このチャ・スンウォンが長身を折り曲げて演じる、情けない男の役柄はなんともいえない。

ドラマはいずれの物語でも、現在と過去の回想シーンを織り交ぜながら進むのだが、ウニが回想する高校時代は愉快だ。

たとえば、ある日、子豚を抱えたウニが通学バスに乗り込むと、同じく麻袋いっぱいのゴマを抱えたハンスが乗っていた。二人とも家が貧しく修学旅行に行くためのお金がない。そこで家にあるものを、お金に換えようとしたのである。当然ながら同級生は二人をからかうのだが、ハンスはひるまない。自分を守り、ウニも守る。以来、ウニはハンスにぞっこんになってしまうのだ。

二人の年齢設定はもうすぐ50歳となっているから、高校時代といえば1990年代の初頭である。たしかに当時の済州島はまだ貧しかったと思う。火山島であることから農業に適した土地は少なく、70年代に始まったミカン栽培が軌道に乗るまでは、海の仕事に頼るしかなかった。

今では済州島名産として名高い豚も、当時は今のように注目されていなかった。

今やいくつもの鮮魚店やカフェのオーナーとなり、むしろ人を援助する側になったウニにとって、過去の貧困はすでに笑い話だが、ハンスにとってはそうでもない。妻と娘を米国にゴルフ留学させているハンスは借金まみれで、過去の郷愁に浸るような余裕はまったくないのだ。済州島を出たハンスと済州島に残ったウニ。二人の立場逆転物語は面白かった。

「ハンスが勝手すぎてムカつく」という感想には同意するが、本人もあれだけボロボロになったのだし許してあげよう。でも鈍感なチャ・スンウォンの顔を思い出すと、……うん、たしかにムカつくかな。

それにしてもだ、この物語に登場する男たちはそろいもそろって、どうしてこんなに情けないのだろう。特にウニの同級生の中高年の皆様。若い世代の男たちはかなり素敵なのに、これは作家の依怙贔屓《えこひいき》じゃないかと思ってしまう。

「でも、済州島の男って昔からそうでしたよ」

父親が済州島出身の友人（50代）は、子どもの頃に会った親戚の人々のエピソードなどを話してくれた。そして「たしかに親世代に比べたら、従兄弟たちは真面目かもしれない」とも言っていた。

「風と石と女の島」――無形文化遺産となった「海女」

済州島の民俗博物館などを訪れると「済州は三多の島」という説明が必ずある。「三多」とは風と石と女。また「三無」として、済州島にないのは泥棒と門とホームレスという話もある。

昔の話といえばそうだが、実際に男たちは海や徴用や戦争で命を失うことも多かったし、島内に仕事がない男たちは出稼ぎに行きもした。そんな男たちの不在を女たちが埋めた。

済州島には働きものの女性が多いことは、『私たちのブルース』を見ていても実感する。このドラマの特徴の一つは、労働のシーンがとても多いことである。老若男女、あるいは障がいのある人にも、もれなく働く場所が与えられており、それが生命力の源泉のような描かれ方をしている。冒頭に紹介した『私の解放日誌』で労働の場が、都市であろうと農村であろうと、常に苦痛の場として描かれたのとは対照的である。身体《からだ》を動かして働くのは楽しいことだ、という気持ちになる。

ドラマの冒頭は早朝の漁港、そこでは男たちにまじって競りに参加するウニ社長の姿がある。卸市場で不漁が嘆かれているのは「カルチ（タチウオ）」、済州島の名物である。済州島にはこれとかぼちゃを煮込んだ「カルチクッ」という名物料理があり、タチウオは済州島の人々の食卓に欠かせない魚である。

その次のシーンには、海女（ヘニョ）たちが登場する。海女の仕事は素潜りで海に潜って海産物を採ること。日本の海女（あま）や海人（うみんちゅ）などと同じなのだが、韓国の場合は長らく女性だけの仕事になっていた。

ドラマの中の海女は若い女性もいれば、高齢女性もいる。船上の海女たちは何やら楽しげにも見えるし、海の中の映像も素晴らしく美しい。思わず潜りたくなるのだが、その素人の甘い考えは随所で戒められる。海女の仕事は死と隣り合わせの厳しいものであり、それで家族を失った人は済州島にはたくさんいる。ドラマにも悲しいエピソードが登場する。

海女もまた済州島のシンボルである。２０１６年にはユネスコの無形文化遺産にも指定され、それを記念する像なども建てられた。強くたくましい済州島女性の象徴。しかし、彼女たちの長年の苦労に光が当たったのは、最近になってからのことである。

そもそも韓国で素潜り漁法を行うのが女性だけになったのは、李王朝時代に宮中に献上するノルマが厳しすぎて、男性たちが逃げ出したからとも言われている。その穴埋めをするために、それまでは浅瀬で海藻を採っていた海女たちが、アワビなどを採るために深い海に潜るしかなかった。そんな李王朝の後にやってきたのは帝国日本だったが、日本の水産会社の搾取もひどいもので、海女たちが集団で激しい抗議行動をした記録が残っている。

ところで、ドラマに登場する海女の中には、済州島出身ではない女性もいる。おそらく彼女は海女学校で学んだのだろう。

済州島に海女の養成学校ができたのは2008年のことだった。それしか仕事がなかった過去とは違い、今は済州島出身の女性たちにもさまざまなチャンスがある。圧倒的な後継者不足の中、海女たちの高齢化が進み、島の伝統産業は存続の危機に陥っていた。そこで地元では専門技術を伝授する学校を作り、全国から生徒を募集した。韓国人はもちろんのこと、外国人の中にもそこで訓練を受けて海女になろうという人々が現れた。

韓国は日本以上に首都圏への一極集中が激しい。多くの若者がソウルを目指すのは済州島も例外ではないが、ただ2000年代に入ってからは、逆に島の暮らしに憧れて都会から移入する人たちも出てきた。カフェを経営したり、有機農業に挑戦したり、済州島移住はちょっとしたブームにもなっていた。その中には海女になりたいと、学校で学ぶ人もいたのだ。

済州島のマイルドヤンキーたち

男たちの話も書こう。ドラマを構成する「8つの物語」のうち半分の4つは、島を出た人たちが登場する物語である。「14人の主人公」のうち男は6人。そのうちの元ヤクザと元賭博師の二人が面白い。この二人は第5話に登場する高校生カップルの父親である。

第5話は高校生の妊娠をめぐる話なのだが、実はこれが韓国で物議を醸した。「ともかく不謹慎」「妊娠出産は学生人権条約で保障された権利」「女性の自己決定権が大切だ」「中絶反対」等々、侃々諤々《かんかんがくがく》の議論もあったが、それよりも「あり得ない」「無理」というのが、この回でドラマを途中下車した人たちの感想だった。

「ちょっと作家の発想が古いんじゃないですか」

韓国人の友人の意見は、そのときにはそうだと思ったし、私自身もこの回で見るのを中断した。もちろん先に書いた「言葉の問題」もあり、必要があれば後から見ればいいと思っていた。ただ視聴率にもそれはあらわれており、他の回に比べてここだけが落ち込んでいる。

ただ再視聴した後では、少し別の感想をもった。これは「古いのではなく、新しすぎる」のかもしれない。親からも学校からも街の人たちからも理解を得られず、八方塞がりの二人が訪れたのは、高齢の海女が暮らす家だった。「隣の家にパンツが何枚あるか、箸やスプーンがいくつかなのも知っている」（ウニの台詞）ような済州で、高齢女性の家が「アジール」として機能する描写はとても印象深かった。

そして、元ヤクザと元賭博師の話だ。

このドラマは「地元の話」だ。市場を仕切るウニと彼女の高校の同級生たちが、物語の中心になっている。ウニたちが高校に通っていた1990年代初頭の韓国は、徹底した「高校標準化」の時代で、皆が割り当てられた近くの高校に通った。同級生の中には金持ちもいれば貧困家庭の子もいるし、優秀な奴も落ちこぼれもいる。私はドラマを見ながら自分が通った、日本の公立中学を思い出した。

　イングォン（パク・ジファン）はかつて済州市一帯のナイトクラブを牛耳るヤクザ組織のメンバーだったが、今はカタギになって故郷の西帰浦《ソギポ》に戻って市場でスンデクッパの店をやっている。妻は家を出てしまい、高校生の息子と二人で暮らしている。

　ホシク（チェ・ヨンジュン）もまたギャンブル漬けの中で、妻に逃げられて父子家庭に。ウニの助けで市場の氷屋になってからは、一人娘のために真面目に働いている。

　韓国ドラマや映画は階層や格差のコントラストが激しいものが多く、エリートはエリート、ヤクザはヤクザで「それぞれの世界がある」という描き方が多い。韓国に限らないが、階層社会は人間関係が同質の人だけになりがちで、世の中への見方も偏ってしまうことが多い。それを突破する狙いが、この済州島を中心にしたドラマにはあるのだと思う。

　すでに書いたように済州島といえば「女性」のイメージが強い。『私たちのブルース』にも力強い女性たちが登場するのだが、では女性中心のドラマかといえば、そんなステレオタイプの物語ではない。

たしかに出てくる男たちはとことん情けない。喧嘩ばかりして足手まといになることが多いが、それでもいざというときにはコミュニティの一員として頑張る。たまに役に立つこともある。根は優しい人たちだ。

日本で「マイルドヤンキー」という地元志向を表す言葉が流行《はや》った頃、ソウル一点集中が激しい韓国ではあり得ないだろうと思っていた。でも、このドラマを見ていると、そんな韓国社会の均一な価値観に風穴をあけようという意欲を感じる。『私たちのブルース』は大卒者が一人しか登場しない、学歴志向の強い韓国では稀有なドラマである。

今の韓国で最大の問題は、若者たちの就職難である。「大学は卒業したのに非正規雇用」という実態は憂うべきなのだろうが、「そもそも大学なんか出なくても、心地よく生きられるコミュニティがあればもっといい」、そう思っている人は韓国にも多いのだ。


「最高のろくでなし」を演じるトップスター、イ・ビョンホン

とはいえ、情けない男ばかりも困ったものだ。その中でもぶっちぎりの「ろくでなし」はイ・ビョンホンが演じるドンソクだろう。お母さんに対しての当たりがひどく、いつもチュニおばさんやウニに諫《いさ》められているが、まったく反省しない。その理由は最終回で明らかになるのだが、見ている視聴者は毎回やるせない気持ちになる。

　このドラマの第1話にイ・ビョンホンが登場したときは全世界が驚いた。それは大げさだが、韓国が誇るトップスターがいきなり、トラックの引き売りをしているお兄ちゃんになり、しかも完全なチョイ役だ。

「こんな贅沢《ぜいたく》なイ・ビョンホンの使い方があるのか」

　当初は主役がリレーするという形式がわかっていなかったため、そんな感想をもらした人も一人や二人じゃなかった。チャ・スンウォンだけでもすごいのに、そこにイ・ビョンホンが脇役のように登場し、さらに市場を見渡せばキム・ヘジャとコ・ドゥシムがいるではないか。二人の大女優にみんなの興奮は高まる。

　加えて、第12話ではオム・ジョンファまで出てきて、オールドファンの頭の中にはファンファーレが鳴り響く。古くからの韓国エンタメファンには、大人になってからお年玉をもらったような気分だ。さらにハン・ジミン、キム・ウビン、シン・ミナと、続々と登場するスターたち。

「いったい、このドラマの制作費はいくらなんだろう?」と、そこを心配する人もいた。

　ただし、14人の主役の中には「無名の新人」もいて、その一人が大きな話題となったのだが、それについては後でふれるとして、ここではイ・ビョンホンについて書きたい。

「それにしても、イ・ビョンホンはこういう役をやらせたらうまいよね。市場のアジョシのステップもリズミカルに軽やかに……」

という皆様の意見には完全同意。さらに私が感動したのは、彼がカップラーメンを食べるシーンだ。おそらく三口で完食？　後でチャジャンミョンを食べる場面もそうなのだが、韓国男性の野性味は麺類の食べ方にあると思っている。わずか数秒で一気に食べる技。真似《まね》したくはならないが、つられて同じものが食べたくなる。

しかし、このドラマでのイ・ビョンホンの見せどころは「コルラヨ、コルラ（さあ買いなはれ）」と手足でリズムを踏む「物売りのアジョシ」や「ラーメンの一気食い」だけではない。「幼馴染の素敵なオッパ」「クールな兄貴」「やんちゃな後輩」、そして「孤独な息子」と、そのたびに「こういう役はうまいよな」と思わせる。いったい彼はどんな役が最も「はまり役」なのだろう？

「イ・ビョンホン」をふりかえる

１９７０年生まれのイ・ビョンホンはこのドラマの放送時は51歳だ。ドラマ『冬のソナタ』をきっかけに韓流ブームが起きた２０００年代初め、彼はペ・ヨンジュン、ウォンビン、チャン・ドンゴンらとともに「韓流四天王」と呼ばれ、日本でも一気に有名になった。

デビューは１９９１年、当初は主にドラマで活躍する「青春スター」だったが、その後に映画にも進出する。ただしドラマが『明日は愛』（１９９２年、ＫＢＳ）を皮切りに、大ヒット作『美しき日々』（２００１年、ＳＢＳ）など順調だったのに対し、映画のほうはなかなかヒット作に恵まれなかった。ソン・ガンホとの共演が話題になった『ＪＳＡ』（２０００年、パク・チャヌク監督）のヒットまで、彼が出演した映画を見たという人は少ないと思う。

彼が主演した映画のラインナップはハードボイルドあり、ホラーあり、歴史ものあり、まさに縦横無尽だ。近年「こんな役もやれるのか！」と皆が驚かされたのは『ＫＣＩＡ南山《ナムサン》の部長たち』（２０２０年、ウ・ミンホ監督）。特に後半からクライマックスまではイ・ビョンホンの真骨頂と、観客からもメディアからも大絶賛された。

そのイ・ビョンホンが市場で「コルラヨ、コルラ」と腰をふる。最初はたまげたが、そういえばこの人は昔から、ドラマでも映画でも、メジャーでもマイナーでも、役を選ばず、またどんな役でもやれる人と言われてきたのだった。韓国の俳優はみんな演技がうまいが、このカメレオン的な大スターは南山のＫＣＩＡ部長から済州島の行商人まで、どっちも「彼でなければ、これは成り立たなかった」と言わせてしまうのである。

『私たちのブルース』もイ・ビョンホンの「はまり役」だったと思う。彼が演じたドンソクという男の不安定な内面。それはいくつもの顔になってあらわれるのだが、その違いを絶妙に演じきる人。もちろんドンソクに限らず、人には喜怒哀楽があるし、役者はそれを上手に演じる。ところがドンソクの場合は単に感情ではなく、一人の中に何人ものドンソクがいる。

実は本来それが人間というものなのだが、イ・ビョンホンが丁寧に演じてくれたおかげで明確になった。多重アイデンティティというほど大上段に構えることなく、私自身も馬鹿で情けない自分をちゃんと引き受けようと思えるのである。

最後に付け加えるならば、イ・ビョンホンの天才はその言語能力にもある。済州島出身のユーチューバーが彼の済州島方言をべた褒めしていたが、それは彼がハリウッド進出したときにもよく聞いた称賛だった。彼の英語の発音は素晴らしい。日本でも方言を使うドラマは、地元の人が聞くとうまい下手がはっきりわかるというが、イ・ビョンホンは完全に及第点をもらったようだ。

最後に、「ダウン症の姉ヨンヒ」を演じたチョン・ウネさんのこと

ベテランから中堅まで豪華キャストが並ぶ本作の14人の主役の中で、無名の俳優が3人いた。妊娠した女子高校生役のノ・ユンソ、チュニおばさんの孫役のキ・ソユ、海女となった妹ヨンオクを訪ねて済州島を訪れた姉役のチョン・ウネ。彼女はダウン症という設定だった。

韓国ドラマや映画は、あえて「障がい者」を主人公にしたものが少なくない。大人気となっ

た『ウ・ヨンウ弁護士は天才肌』（2022年）の主人公も自閉症スペクトラムの弁護士という設定であり、その役を演じるパク・ウンビンの好演が話題になった。

ところが『私たちのブルース』の場合は、役者が「障がい者を演じる」のではなく、障がいのある当事者が俳優として出演して、自分に与えられた役を演じたのである。かつてない試みに韓国でも大きな反響があった。

チョン・ウネのパートは第14・15話。予想をしていなかった「障がい者」の登場に、視聴者はギョッとする。ドキュメンタリー番組ではない、ゴールデンタイムのテレビドラマだ。その「驚きの反応」は制作側が想像した通りのものであり、その戸惑いはドラマの中の登場人物がそのまま引き受ける。

「ものすごく驚いたみたいね。私の双子の姉、ヨンヒ。ダウン症候群」
「発達障害2級」
「ダウン症候群が何か知らないなら、ネットで検索したらいい」

韓国でも教育現場では発達障害のある生徒は、専門の教育機関に通うことが多い。小学校段階では「混合教育」を希望する生徒や保護者もいるが、中高生になると受験が視野に入ってくるため現実的に難しくなる。子どもの頃から学校などで机を並べた経験がなく、また授業などでも発達障害について詳しく習ったこともない。そんな「一般人」はドラマの中でも驚いてしまい、言われた通りにネット検索をする。

ドラマにリアリティがあるのは「障がい者」自身が出演したことに加え、さらに彼女の実体験が物語の下敷きになっているからだという。作家のノ・ヒギョンは、実社会ではカリカチュアアーティストとして活動するチョン・ウネをモデルに物語を構想し、個人的な交流を続けた後で脚本を書いたという。また彼女以外にも聴覚障害のある俳優イ・ソビョルが、市場でコーヒーを売る仕事をしながら、コミュニティで生き生きと暮らす様子が描かれる。

放映から半年過ぎても、韓国では『私たちのブルース』の話題が途切れることはなかった。チョン・ウネに関する記事なども多く、また2022年第27回釜山国際映画祭でノ・ユンソが第8回アジアスターアワードのライジングスター賞に輝いたとの報道もあった。

「ブルース」は文字通り悲しみの歌なのだが、悲しみのブルーは済州の海や空のブルーに溶け込んで明るく照らされる。『私たちのブルース』は美しい物語である。

第九章　ベトナム戦争と韓国ドラマ、そして映画

――ドラマ『シスターズ』、映画『ホワイト・バッジ』『あなたは遠いところに』など

なぜ韓国ドラマ『シスターズ』はベトナムで放送中断になったのか？

２０２２年の秋は韓国ドラマ『シスターズ』にどっぷりはまったという声を、日本でも韓国でもよく聞いた。韓国語の原題は『チャグン・アッシドゥル』（若草物語）、作家が悩んだ末に決めたタイトルだという。ドラマには四姉妹ならぬ三姉妹が登場する。貧困家庭で育った３人は、性格も将来の夢も異なるのだが、力を合わせて巨悪と戦う。と言うと、さすがにシンプルすぎるが、最近の韓国ドラマが得意とするワクワクドキドキの社会派ミステリーである。また凝った舞台アートと俳優たちの美しさなどもあって、アジア各国で大評判となった。

特に三姉妹の長女を演じたキム・ゴウンの変化は、見ているものをワクワクさせる。短大卒

の経理担当だった自信のない彼女と、シンガポールの高級ホテルでオークションにのぞむキリリとした姿のコントラスト。人は光の受け入れ方で、こんなに何種類もの表情をもつのだ、ブラボー！　平たく表情に乏しいと言われてきた東アジア人の、ある意味その典型的ともいえるキム・ゴウンが美しすぎる。また次女役のナム・ジヒョンもよかった。テレビ局をクビになった若きジャーナリスト。正義感が強く猪突《ちょとつ》猛進型の彼女と、そこを懸命に応援するボーイフレンドの愛がうらやましい。

これは間違いなくアジアの女性たちを虜《とりこ》にするだろうなと思っていたら、案の定9月20日の時点で、シンガポール、インドネシア、マレーシア、ベトナム、日本など5ヵ国のNetflixテレビ番組部門で1位を記録。その後に台湾や香港なども隊列に加わり、アジアではダントツ人気となった。

楽しみな展開だと思っていた矢先、不思議なニュースが飛び込んできた。

「『シスターズ、戦争を歪曲《わいきょく》した』ベトナム、Netflixに放映中断を要請」
(https://www.news1.kr/articles/4823494)

これは大変だと思って、まだ見ていない回を慌ててダウンロードした。記事には「ベトナム当局がNetflixに対して、自国内での放映中断を要求した」とある。「特に歪曲《わいきょく》が目立った」と指摘されたのは「第8話」だというが、まだ見ていなかった。

あくまでも「ベトナム国内」という限定的な中断要請だったが、ひょっとして問題が大きくなって見られなくなるかもしれない。韓国とベトナムの関係はとてもデリケートだから。そう思って急いで保存しておこうと思ったのだ。

「歴史歪曲」という批判と謝罪、「青い蘭」の秘密

Netflixベトナムは政府当局の要請に従い、10月6日の正午（現地時間）頃に『シスターズ』を「電撃削除」してしまった。「ドラマがベトナムの歴史を歪曲しており、映画法違反にあたるから」だという。判断を下したのはベトナム政府情報通信省だが、端を発したのはネット上に広がった一般視聴者からの抗議の声だったという。

韓国の制作会社スタジオ・ドラゴンは、すぐさま謝罪コメントを発表した。

問題を起こして申し訳ない。今後はコンテンツを制作する際に、社会・文化的感受性を考慮し、より一層細心の注意を払う。

さらにシナリオ作家のチョン・ソギョンも、韓国メディアのインタビューに答える形で、「グローバルな環境でドラマを執筆する際には、視聴者に対する細やかな配慮が必要だった」と反省の弁を述べた。

「お金の起源を説明する出発点としてベトナム戦争を考えた。韓国がベトナム戦争で外貨を稼ぎ、それが経済発展の土台となったことを描きたかった」
「ベトナム戦争についての事実関係を語るとか、定義するとかの意図はなかったため、ベトナム現地の反応は想定していなかった……」

(https://star.ytn.co.kr/_sn/0117_202210180800210930)

「歴史歪曲」という指摘をされた箇所には特に言及せずに、問題を起こしたことや配慮が足りなかったことを反省するという、いわゆる「謝罪構文」的なものだった。

作家自身の発言にあるように、『シスターズ』はベトナム戦争そのものに踏み込んだドラマではない。ただ、物語の鍵を握るのはベトナム原産の青い蘭《らん》と、ウォン・ギソン将軍という人物だ。彼はベトナム参戦軍人であり、彼と仲間のベトナム帰還兵たちが結成した秘密グループが「情蘭会」である。作家の意図はこのグループと韓国経済発展の闇を結びつけたいということだった。

ベトナム側の抗議はその部分ではない。ベトナムの人々が反応したのは、第8話に登場する帰還兵の台詞だった。


「韓国軍が快進撃の時キル・デス比は20対1、つまり韓国兵1人当たりベトコン20人を殺した。精鋭部隊は100対1だった」


ためしにツイッターで検索してみたら、当該画面のキャプチャーをあげて「Netflix の映画『シスターズ』は、見ないでください。この汚い目」というベトナム語のツイートがあった。これは放映直後の10月1日の書き込みであり、その下には視聴ボイコットを訴えるコメントがあった。また日本との関係から「韓国のダブルスタンダード」を批判する内容もあった。

韓国メディアによれば、ベトナム現地の反発として「韓国兵はベトコンではなく民間人を殺したこと」「彼らを英雄と表現している」などがあったという（https://news.mt.co.kr/mtview.php?no=2022100710361614582）。

想定外だったベトナム視聴者の反発。韓国のドラマ制作者にとって、これは初めての経験だった。ちなみに「ベトコン」とはベトナムの共産主義者という意味であり、南ベトナム解放民族戦線の兵士などを指す。

米国などとは違い韓国では、これまで「ベトナム帰還兵」がドラマや映画でとりあげられることはあまりなかった。２０２０年、同じくスタジオ・ドラゴン制作の『サイコだけど大丈夫』にはベトナム戦争のトラウマに悩む元兵士が登場していたが、彼のような「敗残兵」的な描かれ方はベトナムの歴史観の中では正しいといえる。ベトナムの立場からすれば、戦争の正義も勝利も自らの側にあり、米軍も韓国軍も侵略軍であるとともに完全な敗者なのである。

現在のベトナム社会主義共和国で「英雄」は国父ホーチミンであり、かつての北ベトナム軍や南ベトナム解放民族戦線の兵士たちである。その栄光を傷つけたり歪曲することは放送法にもふれる。放映中断は法的根拠をもって行われた措置だった。

なぜ韓国軍がベトナム戦争に参加したのか？

ドラマ『サイコだけど大丈夫』のときもそうだったが、日本の視聴者の中には韓国とベトナム戦争の関係を知らなかったという人もいるようだ。そもそも、なぜ韓国軍はベトナム戦争に参加したのか？　ベトナムの敵はフランスや米国ではなかったのか？

第二次世界大戦末期、ベトナムを含む「仏領インドシナ」は日本軍の占領下にあった。その頃から独立運動を組織していたホーチミンは、日本の敗戦と同時にベトナムの独立を宣言した。

ところが旧宗主国であるフランスはこれを認めず、再植民地化を目指して軍隊を派遣したのだが、1954年にディエンビエンフーで大敗してしまう。休戦協定では北緯17度線を境に南北が分断され、北はホーチミン率いる社会主義のベトナム民主共和国（北ベトナム）、南は資本主義のベトナム共和国（南ベトナム）となった。

これは前年の1953年に38度線を境に休戦した朝鮮半島と同じ構図だった。すでに中国大陸では共産党政権が成立しており、アジアにおける共産主義の拡大を恐れる米国は、南ベトナムに強力なテコ入れを開始し、それが北ベトナムとの戦争に発展した。1964年から1973年までの10年間に米国が派遣した兵力はのべ870万人超という、文字通りの泥沼化した長期戦となった。

米国は「共産主義と戦う自由ベトナムの支援」を他国にも呼びかけた。それに最も積極的な反応を示したのが朴正熙政権下の韓国だった。まずは医療部隊とテコンドーの教官などから、やがて猛虎、白馬、青龍という勇ましい名前をもつ韓国軍の精鋭部隊が次々に派遣された。その数はのべ約32万人。米軍以外の外国軍としては破格の規模だった。

そもそも派兵は「韓国の側からの提案」が最初だったという。1961年5月にクーデターで政権を握った朴正熙は、なによりも米国による承認と援助を必要としていた。直後に訪米した朴正熙は、その時点ですでに派兵を申し出ていたのだという。

派兵の目的は「朝鮮戦争でともに戦ってくれた米国への恩返し」とか、「共産主義という共通の敵をやっつける」などの大義とともに、経済的な意味も大きかった。その一つは兵士たちに支払われる外貨建ての給料であり、それとともに重要だったのはベトナムでの利権を得て、後方における国内産業を発展させることだった。モデルとなったのは、朝鮮戦争で経済復興を果たした日本である。実際に今の韓国で「財閥」と呼ばれる企業グループの多くが、この時期を経て飛躍的に発展したことは、先に引用した作家の言葉にある通りだ。

それは企業だけではなかった。国民もまた「ベトナム行きのバスに乗り遅れるな」という合言葉のもとに浮足立った。映画『国際市場で逢いましょう』（2014年、ユン・ジェギュン監督）は韓国現代史を庶民の目線で描いて大ヒットした映画だが、主人公がベトナムに向かう目的は純粋に「お金のため」だった。


「ドルでくれるそうです。850ドル、韓国のお金にしたら40万ウォン」

「すごい！　だったら、私の結婚費用も問題ないわね」


主人公の妹は喜んだが、本当の理由は国際市場にある小さな店を買い戻すためだった。庶民たちも小さな夢の実現のために、戦下のベトナムに向かったのである。

タブーとなった、ベトナム戦争

ベトナム戦争は1975年4月のサイゴン陥落で終わり、勝利したホーチミンのベトナムは社会主義国としての歩みを進めていくことになる。日本軍の占領、フランス軍との戦い、そして米軍と韓国軍の介入。長く続いた戦争は多くの人命を奪い、戦場となった国土は傷だらけ、まさに満身創痍《そうい》の状態だった。

一方、米国にとっても、ベトナム戦争は大きな挫折となった。北ベトナム軍や解放戦線の決死の抵抗に加え、世界に広がったベトナム反戦運動はもれなく米国政府の軍事行動を批判するものだった。米国国内でも多くの若者が反戦運動に加わり、徴兵を拒否する人々も出ていた。社会は分断され、心に傷を負った人も多かった。なかでも参戦兵士たちのトラウマは、米国社会にとって大きな問題となった。彼らが戦場で見た地獄は、どんな地獄だったのか。

このことは、私たちもわりとよく知っている。米国映画は繰り返しベトナム戦争をテーマにしており、『タクシードライバー』（1976年）のロバート・デ・ニーロをはじめ、ハリウッドの名優たちが代わる代わる傷ついた帰還兵の役を演じてきたからだ。

思い出すのはトム・クルーズ演じる帰還兵ロンだろうか？　あるいはスタローンのランボ

ー？　メッセージが明確なのは、自身もベトナム帰還兵であるオリバー・ストーン監督の『7月4日に生まれて』（1989年）だろう。これに先立つ『プラトーン』（1986年）と後に制作された『天と地』（1993年）を合わせたストーン監督の「ベトナム三部作」は、明確な反戦映画である。

ただ帰還兵の寂寥《せきりよう》感ということで言えば、1982年に公開された最初の『ランボー』（テッド・コッチェフ監督）あたりのほうが色濃く、明らかにシリーズの後続作品とはトーンが異なる。『シスターズ』第8話に登場する韓国人帰還兵は、こちらのイメージに近い。英雄になれなかった兵士たちのやりきれなさ。

世界中に広がった反戦運動があり、また命を落としながら戦争の悲惨さを伝えた戦場ジャーナリストたちのおかげもあり、世界中で同時代に、あるいは少し後からでも、私たちはベトナム戦争についてかなりのことを知ることができた。

ところが韓国ではそれができなかった。ベトナム戦争の時期、韓国はまさに朴正熙による軍事独裁政権の時代であり、あらゆる表現の自由が抑圧されていた。バリバリの反共国家においては、ホーチミンの軍隊と戦う韓国軍人は英雄と称えられ、それを批判することは許されなかった。

ホーチミンやハノイの博物館には、世界中の大都市で繰り広げられたベトナム反戦運動の写真が展示されている。ニューヨーク、パリ、ロンドン、コペンハーゲン、アムステルダム、東京……。

「ソウルの写真はないんだよね」

90年代後半、一緒にベトナム取材をした韓国人カメラマンが寂しそうにつぶやいたのを覚えている。彼の母親は取材でベトナムに行くと言ったら、「銃を担いで行くのか?」と真顔で聞いたと言っていた。

ベトナム戦争終結から4年後に朴正煕は暗殺されてしまうが、後に続いた全斗煥《チョンドファン》と盧泰愚《ノテウ》という二人の大統領もまた軍部出身であり、しかもベトナム参戦将校だった。武勇伝以外は許されなかった。

唯一のベトナム戦争映画、『ホワイト・バッジ』

そのタブーを破ったのは、1992年に公開された映画『ホワイト・バッジ』である。おそらく韓国でベトナム戦争と帰還兵の問題を正面から扱った長編映画は、後にも先にもこれだけだと思う。民主化から5年、チョン・ジヨン監督にとっては前作『南部軍 愛と幻想のパルチザン』(1990年)に続く、現代史のタブーへの挑戦だった。

主人公のベトナム帰還兵を演じたのは当代のトップスターであるアン・ソンギ、同じ部隊にいた後輩役にはイ・ギョンヨン。当時はまだ若手と言われた彼の、戦場のトラウマで精神を病む一兵卒の演技はすさまじく、この年の演技賞を総なめにした。

原作は同名小説であり、著者であるアン・ジョンヒョ（安正孝）は１９６６年から67年まで「白馬師団」の一員としてベトナムでの戦闘に参加していた。原作の約８割は彼が直接体験したことだという。原作小説の日本語版は１９９３年に金利光訳で光文社から刊行されている。映画版は１９９２年の東京国際映画祭でグランプリを受賞しており、日本語字幕のＤＶＤも出ていたので見た人もいると思う。

爆撃とヘリコプターの音から映画は始まる。

主人公のハン・キジュ（アン・ソンギ）は作家であり、自らが体験したベトナム戦争についての小説を書こうとしている。時代は１９７８年11月、朝刊の１面にはその翌年に朴正熙を暗殺することになる金載圭《キムジエギユ》と、日本の総裁選で当選が決まった大平正芳の顔写真が見える。

主人公のハンはベトナム戦争後に無気力となり、妻とも離婚して退廃的な生活を送っていた。雑誌社の依頼でベトナム戦争の体験小説を書き始めるのだが、毎夜、戦争の悪夢にさいなまれるようになる。そんなある日、かつて同じ部隊にいた戦友ピョン・ジンス（イ・ギョンヨン）から電話がかかってくる。ジンスの言行は明らかに異常であり、それはやがてとんでもない結末を迎える。

映画はベトナム現地の回想シーンと韓国帰国後の物語を行き来する。

二人がいた部隊は当初は大した戦闘もなく平和だったが、時がたつうちに「本物のベトナム戦争」に巻き込まれていった。敵と誤認して民間人を殺してしまった下士官は自らの失態を誤魔化すために、部下にも民間人の殺戮《さつりく》を命じる。理性のタガは外れ、全員は狂気の中に突入していく。

映画にはベトナム戦参戦兵士たちの揺れる心情が描かれている。戦火の中を生きるベトナムの人々は、20年前の朝鮮戦争のときの自分たちの姿であり、外国軍にチョコレートをねだる子どもは幼い日の主人公自身だった。


ベトナムと韓国の共通点は多かった。第二次世界大戦後に南北が分断されたこと、外国軍隊の介入と内戦、第二次世界大戦後で最大といわれた犠牲者の数。韓国映画『ホワイト・バッジ』は米国映画とは違う視点をもつ、もう一つの当事者によるベトナム戦争映画となった。

チョン・ジヨン監督は１９４６年生まれで、従軍兵士たちと同世代である。１９５２年生まれのアン・ソンギは少し年下だが、彼がベトナム戦争中に自ら外国語大学に入学してベトナム語を学んだことはよく知られている。同時代の監督と俳優たちが作り出した映画は非常にリアリティのあるものだった。しかも米国映画ができなかったベトナム現地でのロケも敢行している。韓国初のベトナム戦争映画は手応え十分だったはずだが、なぜかその後にこれをテーマにした映画が作られることはなかった。

韓国とベトナムの国交正常化、民間人虐殺問題と帰還兵

この映画が公開された１９９２年に、韓国とベトナムは国交を結んだ。ベルリンの壁が崩壊し、東西冷戦は終結したといわれた。韓国もそれまで対立していた「共産圏」の国々と矢継ぎ早に国交を結んでいった。ロシア、中国、そしてベトナムやカンボジア等々。

ベトナム戦争終結から17年、国交が樹立されると、韓国企業は再び我先にとベトナム進出に乗り出した。「ベトナム行きのバスに乗り遅れるな」は過去の話ではなかった。

その結果、今やベトナムにとって韓国は最も重要な国の一つになった。多くの企業が進出し、その投資額は日本の約2倍、ベトナム在住の韓国人は日本人の約10倍で20万人にもなるという。ハノイやホーチミンシティには韓国人居住地区があり、高級マンションが立ち並んでいる。

ベトナム政府は過去の戦争について、一貫して不問の立場をとっている。「過去には蓋をする」というのが政府方針であり、それは韓国に限らずフランスや日本、米国に対しても同様である。それよりも「未来を見つめよう」という。そんなベトナムで今回韓国ドラマが放送中止

になったことは、関係者にとって衝撃だった。ただ「想定外」の出来事に対して韓国側がすぐに謝罪できたのは、韓国社会が過去の歴史問題について、それなりのコンセンサスを共有していたからである。

ベトナム政府の公式的立場は「過去に蓋をする」ことであっても、実際のベトナム人は多くの痛みを抱えていた。また韓国の側には、過去を反省することこそが健全な国家関係への第一歩になると考える人たちも多い。なかでもベトナム戦争中の韓国軍による民間人虐殺については、1990年代末から学者やジャーナリスト、市民グループなどが真相究明と謝罪活動に一生懸命取り組んできた。

ただ韓国にはそれに反発する勢力もある。特に元軍人たちの感情は微妙であり、彼らの中には民間人虐殺を否定したり、市民グループやジャーナリストを攻撃するグループもある。『シスターズ』の第8話にも元軍人らのデモの様子が、スマホ画面を通して出ていた。そこで「情蘭会」のオリジナル・メンバーの一人であるベトナム帰還兵はこう発言していた。

「なぜ俺がデモに参加したと？　悔しいからだ。誰も俺たちに謝罪しない。ベトナムの民間人はもちろん、ベトコンにまで謝罪したのに、我々にはしないんだ。このもどかしさを知ってほしかったんだ」

ここでいうベトコンとは、現在のベトナム政府（共産党政権）のことだろう。韓国政府は過去の戦争と民間人虐殺について、金大中政権時代にベトナム政府に対して正式に謝罪をしている。

しかし帰還兵たちの中には、自分たちもまた戦争の「被害者」であるのに、韓国政府からも米国政府からも見捨てられた存在だという悔しさを抱える人がいる。

ベトナム戦争で命を失った韓国軍兵士は約５０００人にのぼるが、韓国政府は長らくそれを公表すらしなかった。また約２万人が後遺症に悩むという枯葉剤被害も90年代まで放置されてきた。

映画『あなたは遠いところに』

最後にもう一つ、ベトナム戦争を舞台にした映画を紹介しておく。２００８年に公開された『あなたは遠いところに』（イ・ジュニク監督）は、１９７１年の韓国とベトナムが舞台となっている。

『ホワイト・バッジ』は実話ベースだったが、こちらは完全なフィクションである。

田舎のそれなりの富農の家に嫁いだ女性が、跡継ぎを待ち望む姑《しゅうとめ》の命令で、ベトナムに派兵された夫を訪ねて戦地に赴く。どうやったら夫のもとに行けるか思いあぐねる女性の前にあらわれたのは、借金を抱えたバンドマスター。ベトナム行きに起死回生をかけた彼の誘いで女性は釜山港から船に乗り、やがて激戦が続くベトナム中部の最前線まで行くという「あり得ない物語」だ。あまりにも荒唐無稽な設定は失笑も買ったが、映画としての評価は高かった。

主演のスエの透明感あふれる演技が素晴らしい。透明すぎて何を考えているのかわからない。「夫に会う」という目的は不変なのだが、それが何のためなのか。何が彼女を突き動かしているのか、そのわからなさが物語をリードしていく。夫役のオム・テウン、バンドマスター役のチョン・ジニョンの好演もあり、非常によくできたエンタメ作品として、韓国国内の映画祭では多くの賞を受賞した。

『ホワイト・バッジ』と並べるには作品のタイプが違いすぎるが、韓国映画でベトナム戦争を舞台にした映画はこの2本しかない。韓国初のベトナム戦争映画から16年後に作られた「2作目」のテーマは、戦争そのものではない。それでもあの戦争を韓国の人々がどうふりかえるのかという、その思いは作品のいたるところにちりばめられている。

映画には南ベトナム解放民族戦線のキャンプの様子も登場する。捕らえられたバンドメンバーたちの目を通して描かれる、ジャングルの中の解放区。そこでのやりとりは印象的だった。

「俺たちは軍人じゃない。韓国のバンドだ」

「韓国軍は俺たちの敵だ」

「俺たちは金を稼ぎに来ただけだ」

「つまり目的は、パク・チョンヒ（朴正熙）の軍隊と同じというわけだな」

「違う、俺たちは金儲け、韓国軍は平和のために来たんだ」

「平和とは何だ？」


そこに続くシーンはあまりにも重い。

韓国のドラマや映画を見ながら韓国現代史をふりかえる。物語は韓国だけの物語ではなく、世界につながっている。

ベトナム戦争における韓国軍の問題については、日本でも参考になる本が出ているので、代表的なものを紹介しておく。

黄皙暎著『武器の影』（上下巻）、高崎宗司・佐藤久・林裔訳、岩波書店、1989年

金賢娥著『戦争の記憶 記憶の戦争―韓国人のベトナム戦争』安田敏朗訳、三元社、2009年
伊藤正子著『戦争記憶の政治学―韓国軍によるベトナム人戦時虐殺問題と和解への道』平凡社、2013年
コ・ギョンテ著『ベトナム戦争と韓国、そして1968』平井一臣・姜信一・木村貴・山田良介訳、人文書院、2021年

第一〇章　語られることのなかった、軍隊の話
——ドラマ『D.P. —脱走兵追跡官—』と映画『ノーザン・リミット・ライン 南北海戦』

入隊したBTSのJIN

ＢＴＳのメンバーのＪＩＮが２０２２年12月13日、入隊した。指定された訓練所は京畿道《キョンギド》漣川《ヨンチヨン》にある陸軍第5師団の新兵教育隊、彼はすでに「中の人」になってしまった。

この原稿を執筆していた時点ではまだ「入所」で、その後に5週間の訓練期間を経て、一線部隊に配置されることになる。ＪＩＮは陸軍所属なので、兵役の期間は18ヵ月だ（海軍は20ヵ月、空軍は21ヵ月）。ここには5週間の訓練期間も含まれるから、順調に行けば２０２４年6月に満期除隊となる。

外にいる私たちにとっては「彼がいない空白の時間」がしばらく続くのだが、彼自身にとっ

ては兵士としての濃厚な時間がスタートする。「THE CAMP」というスマホアプリには、入隊と同時に「D***」という除隊までの日数が表示され、毎日その数字が一つずつ減っていく。現役兵として入隊した人々にとっては、これまでとはまったく違う新しい生活へのチャレンジとなる。現役兵というのは後で述べるように、通常は徴兵検査で3級以上の人が該当する。

過去には芸能兵というシステムもあったし、また事務所ぐるみでの兵役回避などが行われた時代もあった。でも最近の芸能人は普通に現役兵として入隊する人がほとんどであり、中には海兵隊などの最もタフな部隊を志願するツワモノもいる。

ただBTSの場合はその活躍が世界的だったために、メンバーの入隊をめぐっては国論を二分するような大きな議論にもなった。

「オリンピックメダリストや世界的な音楽コンクール受賞者などに与えられる兵役免除は、大衆音楽分野での世界的アーティストにも与えられるべき」

「彼らはその分野で十分に国に貢献しているのだから」

「BTSの活躍はたしかに飛び抜けているが、芸能分野に兵役免除を広げると基準が難しくなる」など。

メンバーたちは「兵役には行く」と何度も表明しており、議論は彼らとは少し離れた政治の場面で白熱した感もあった（これはいつものことだ。政治家は何だって利用して、自分たちだけで白熱する）。

ＪＩＮが入所した新兵教育隊については、他の新兵やその親にインタビューをしたことがあるので、本題に入る前に少しだけ書いておきたいと思う。

韓国の徴兵制と新兵教育隊

新兵教育隊とは韓国陸軍の各師団内にある新兵教育用の施設である。海軍や空軍、あるいは海兵隊などにも同じタイプの教育機関があり、一般的には「訓練所」と総称される。

ＢＴＳの所属事務所は12月6日、ファンに向けてＪＩＮの軍入隊を公式発表すると同時に、入所式への訪問自粛を呼びかけていた。

「新兵教育隊の入所式は、多数の将兵および家族が共にする場です。現場の混雑を避け安全を確保するために……」

たしかに入所式にファンが訪れたら、現場は恐ろしく混乱するだろう。それでなくても生まれて初めての軍隊生活に緊張する新兵と、心配でたまらない家族が集まる場所である。恋人がいれば、その人とのお別れもある。しかも軍の管轄なのだから不測の事態は避けられるべきだし、なによりもＪＩＮ自身も家族や友人たちとゆっくりお別れの時間をもちたいだろう。

「韓国の若者は家族優先の子が多いですよ。恋人よりも親やおばあちゃん。公認の場合は誘うこともありますが」（男子二人の母親）

そんな話をしていたのだが、なんとＪＩＮの入所式にはＢＴＳのメンバー全員が駆けつけた。そこで写真や動画を撮って世界に配信する。さすがの配慮である。

一般の若者たちに入隊前のことを聞くと、直前まで友だちと飲み歩いたり、ガールフレンドと毎日のようにデートしたりと忙しい。入所式の前日に髪を切って、両親の車で部隊まで行ったという人が多かった。

「息子は遊び歩いていましたが、私は毎日泣いてばかり。入所式に送ってきた夜は寂しくなって、息子のベッドで寝ました」

これは私の友人の話だ。友人は日本人だが韓国人と結婚したため、息子さんには生まれたときから日韓両方の国籍があった。二重国籍者は17歳までに韓国国外に出て、韓国籍を離脱すれば兵役に行かなくていい。でも彼は韓国で育ったので、周りの友人たちと同じように軍隊に行くことを選んだという。

18歳になると、軍から徴兵検査の通知が来る。これは男子全員の義務であり、その検査の結果によって個人の等級が決まる。

1〜3級が現役兵、4級は補充役・服務要員で5級は後方支援、6級は免除、7級は再検査である。

この息子さんは1級だったそうだ。「そんな良い成績初めてですよ」と友人は苦笑していたが、近眼があっただけでも2級になるという。3級までが現役兵であり、持病があったりメンタルに問題が認められた場合は4級以下となる。

入隊の時期は選べるのだが、原則的には満28歳になる年まで。JINの場合は特別法で満30歳までの延期となっていた。

陸軍の訓練所は基本的には家から近い部隊が割り当てられる。ソウルに住所のある人たちは、JINと同じく京畿道にある新兵教育隊に行くことが多いそうだ。ただ近いとは言っても軍隊は都会の真ん中にあるわけではなく、特にJINが入所した漣川の師団は38度線にほど近い前線部隊である。冬には氷点下20度以下にもなる極寒の地域であり、それを考えるだけでも厳しい訓練だろう。

今回紹介するドラマ『D.P.』（邦題『D.P. ―脱走兵追跡官―』）の第1話にも、訓練所の入所式のシーンがある。両親や恋人たちと愛情たっぷりの別れ方をする新兵たちがいる中で、家庭的に恵まれない主人公は孤独である。そういう若者もいるだろう。

でも実際に訓練所の生活が始まることで、些細《ささい》なセンチメンタルなどはふっとんでしまう様子も描かれている。上官による命令は新兵全員にふりかかり、一般社会なら不条理に思われるようなことも、軍隊内では「訓練」として繰り返される。さらに悲惨なのは訓練期間が終了して配属が決まった後だ。そこでは先輩兵士による壮絶な新兵いじめが待ちうけている。

ただし、これは「過去の話」だ。ドラマの時代設定は2014年であり、その後に韓国軍は大きく変化したという。

初めて軍隊内部を描いた、異色のドラマ『D.P.—脱走兵追跡官—』

よくもこんなドラマが作れたものだ——というのが私を含めた多くの人々の感想だった。2021年8月にNetflixの独占配信が始まったドラマ『D.P.』は、韓国の軍隊生活を赤裸々に描いた作品として大評判となった。

これまで韓国ドラマは軍隊内部の話にはほとんど踏み込まなかった。映画でも軍隊生活そのものをテーマにした作品は『許されざるもの』(2005年)ぐらい。これは当時まだ学生だったユン・ジョンビン監督が卒業制作で作った作品で、同じ大学出身のハ・ジョンウが主演している。それ以外には見当たらないと言うと、日本の人々は不思議がる。

「そんなことはないでしょう？　韓国は徴兵制のある国だし、芸能人の入隊なども常に話題になるのに？」

もちろん韓国で軍隊は身近な存在だ。街を歩けば普通に軍服姿の人を目にするし、テレビでも軍隊を慰問するバラエティ番組などは昔からある。過去には兵士のお母さんをサプライズ登場させる番組が大ヒットしていたし、最近では女性アイドルや外国人が海兵隊の猛特訓を体験するタイプの人気番組もあった。また恋愛ドラマの主人公の彼氏が兵役に行ってしまったり、素敵な職業軍人との恋愛がテーマのトレンディドラマなどもあった。

それなのに軍隊そのものを描いた作品はとても少ない。ドラマや映画だけではない。韓国文学に詳しい翻訳家の友人によれば、文学作品などでもほとんど聞かないという。なぜだろう？

『D.P.』とはDeserter（脱走兵）Pursuit（追跡）の略語、日本語版タイトルにある「脱走兵追跡官」という意味だ。憲兵隊の中にある特殊部門であり、さまざまな理由で部隊を離脱した兵士を捜すのがD.P.の任務である。

全軍に約100名ほどといわれるD.P.の存在は一般的にはあまり知られておらず、兵役経験があっても「詳しいことはドラマで初めて知った」という人が多いという。なるほど、ドラマがヒットした理由の一つはここにあるのだろう。

これまで「誰もが経験することですよ。つまらなすぎてドラマや小説なんかにはならない」と言われてきた軍隊生活が、この「誰も知らなかったD.P. の仕事」を縦軸にすることで、非常に興味深いものとなった。コンビで逃亡者を追跡していく刑事ドラマ的な展開も斬新だった。さらに後述するように、このドラマのモチーフともなった残忍な事件は人々の記憶に新しかった。もはや軍事政権時代でもないのに、どこかで軍隊を聖域化していた人々の目を、あらためて覚ますことにもなった。

ドラマの原作は、2015年2月に連載が始まったウェブ漫画『DP 犬の日』である。原作者のキム・ボトン自身がD.P. 出身であり、その経験をベースにした作品はリアルになるしかなかった。ドラマ化にあたっては登場人物が追加されるなどさまざまな脚色がされているが、脚本にはキム・ボトン自身も参加している。

ちなみに原作のサブタイトルにある「犬」という言葉は、日本語にもある「権力に服従する者」という意味の上に、韓国語における「ろくでなし」という意味の罵倒語がかぶさっている。日本語タイトルの『D.P. —脱走兵追跡官—』は非常にスマートなタイトルだが、もともとの作品のニュアンスは自虐的であり、ドラマでもそのトーンは一貫している。

出演者たちにも軍生活のトラウマが……

ドラマは無機質なタイピングの音から始まる。

「大韓民国の国民である男性は憲法とこの法が定めるところにより、兵役の義務を誠実に遂行しなければならない」（大韓民国兵役法第3条）

タイピングされた字幕に続く「二等兵アン・ジュン・ホ」という声。上級兵士に何かを言われるたびに、即座に自らの「官等姓名」（階級と氏名）を答える軍規は韓国軍独特のものだ。アン・ジュンホ（日本語字幕ではアン・ジュノ）役を演じたチョン・ヘインは最初の撮影のとき、緊張のあまりに「二等兵チョン・ヘ・イン」と、本名で応じてしまったという。

「これもＰＴＳＤと言うべきかもしれません」

（https://www.sedaily.com/NewsView/22RB3YDZWM）

軍隊内のセットと上官の雰囲気などがリアルすぎて、瞬間的に自分が二等兵だった時代にタイムリープしてしまったようだ。彼に限らず他の出演者もまた、反射的に自分の官等姓名が出てくる経験をしたという。

チョン・ヘインは「08軍番」だという。大学在学中の２００８年に入隊して２０１０年に除隊した。韓国軍が劇的に変化したと言われる前であるから、おそらくドラマで描かれたような雰囲気の中で兵役を終えたのだと思う。彼は自らの軍隊経験が演技に役立ったとも言っている。それは彼だけではないだろう。

毎回ドラマの最初に字幕表示される「兵役法第3条」。その法の定めるところによって、韓国の男性はもれなく兵役の義務を負っている。チョン・ヘインだけでなく他の役者たちも軍隊生活を思い出したと言うし、視聴者の中にも自らの体験をもって共感できたと言う人は多いだろう。

ただ、それによってつらい記憶が蘇《よみがえ》った人もいる。

ドラマ『D.P.』では軍隊内での暴力やいじめのシーンが多い。軍隊を離脱する脱走兵の理由はさまざまだが、やはり軍隊内での不条理な仕打ちもその大きな理由になっている。二度と思い出したくないからドラマをあえて見なかったという人はいるし、つらくなって途中で見るのをやめたという人も知っている。

「古参兵（部隊での先輩兵士）にひどい奴がいて、あの顔を思い出すたびに全身の血が逆流するんです。憎悪の血で自分が汚れるような気がするから、そういうものは見ないんですよ」

すでに60代になる知人が言っていたことだが、過去に遡るほど軍隊内ではひどいことが行われていたようだ。そういう話を聞くたびに、日本の小説や映画で知った旧日本軍のことも思い出した。組織における人間の壊れ方や残虐性には共通点がある。

「でも、今は違うんですよ。今は本当に良くなったんです」

最近の韓国ドラマの中で『D.P.』が一番オススメと言っていた20代の男性（2018年入隊、2020年に満期除隊）は、この10年で韓国軍は劇的に変わったと話してくれた。訓練は厳しいけれど、ドラマに出てくるような理不尽な暴力は経験しなかったと。

「過去の話」だから、視聴者は安心して見られたのかもしれない。ドラマを見て心配する母や恋人にも、「今は違うから大丈夫だよ」と言えたという。でも本当にすべてが過去の物語なのだろうか？　原作者の問題提起はそこにあった。

権威主義的な軍隊文化はその内部だけにとどまらず、社会のいたるところに漏れ出ている。たとえば職場であったり、家庭であったり、学校であったり。日本の場合ならば「部活動」などでも「まるで軍隊のような」上下関係があったり、日常化したシゴキや暴力が発覚することもある。

韓国軍は本当に変わったのか?

このドラマの設定は２０１４年なのだが、それには意味がある。第1話の冒頭には入隊前日までピザ屋でバイトをしている主人公が登場する。そのバイト先のテレビに映っているのは、「国軍の日」(10月1日)にスピーチをする朴槿恵大統領(当時)だ。

「兵士の人格が尊重され、人権が守られる兵営を作ることから始めます」
〝２０１４年国軍の日、記念式〟

この年は韓国の軍部隊内で重大な事件が2件も発生しており、政府はその責任を問われていた。

その一つめが4月に京畿道漣川の陸軍第28師団内で起きた「ユン一等兵暴行死亡事件」である。先輩兵士らによる集団暴行で亡くなったユン一等兵(当時20歳)は、その2月に部隊配置されたばかりだった。当初、軍当局は死亡原因などの詳細を伏せていたが、しばらくして激しい暴行や陰湿ないじめの実態が明らかになった。

「いまだに軍隊内ではこんなことが行われているのか」と世間は驚いたが、そのときに軍が独自に行った調査では、なんと4000件にも及ぶ未報告のいじめや暴行事件が発覚したという。事件はまさに氷山の一角だったのだ。

さらに2ヵ月後の6月には江原道高城《コソン》の見張り場で、陸軍第22師団所属の兵長（当時22歳）が銃を乱射し、5人が死亡、9人が負傷する事件が発生した。兵長は除隊までわずか3ヵ月を残すだけだった。彼もまた軍隊内でのいじめの被害者であったことが明らかになった。

この事件に関しては軍の上層部の対応の誤りも問題になった。ドラマ『D.P.』にはそんな将校たちの事なかれ主義や自己保身も再現されている。

この二つの重大事件を受けて、韓国軍の内部では人権問題についての点検が行われ、さまざまな改善策がとられた。たとえば兵士の精神面でのケアも重要項目となり、メンタルが弱い新兵はそれを申告することで、「私にかまわないでくれ」というバッジをつけることもできるという。もし、その兵士に何かがあれば責任者が処分される。

「訓練所にいるときには、上官から電話もありました。お母さん、息子さんは元気にやっていますよ。何か気になることがあったら私に連絡を下さいって。今の軍隊は小中学校より親切だと思います。夫は信じないけど、昔とは違うんです」

事件から4年後の2018年に入隊した兵士の母親から聞いた話である。

その前年である２０１７年に文在寅政権が発足してからは、さらに兵士たちの待遇が改善されていた。特に２０１９年４月からはスマホの使用も認められるようになり、これまで社会とは隔絶されていた軍隊生活は一気に開かれたものになった。

ただ、すべての問題が解決されたわけではない。文在寅政権下で顕在化したのは、女性兵士へのセクハラ問題だった。


女性兵士については、ドラマ『賢い医師生活』について書いた前著でもふれたことがある。韓国の徴兵制は男性だけが対象となっているため、女性が国防の仕事を希望する場合は志願して「職業軍人」となる。先に引用した「兵役法第３条」は男性の兵役義務を定めたものだが、その後半には「女性は志願によってのみ現役ならびに予備役として服務することができる」という一文が続いている。したがって軍人となる女性の多くは、目的意識のはっきりした自立心の高い人々である。

そんな女性下士官の一人が２０２１年5月末、軍の官舎で自ら命を絶った。享年23歳の空軍下士官は3月に上官から性的暴行を受け、その被害を他の上官に申告もしていた。ところが加害者である上官は処分されることなく、被害者である女性の側が犠牲となったのである。

女性が亡くなったことで、慌てた軍は調査をして上官を逮捕した。報告を受けた文在寅大統領（当時）は追悼所に赴いて遺族に謝罪し、軍には再発防止を徹底することを命じた。ところがその2ヵ月後には今度は海軍で、同じく上官からのセクハラ被害を訴えていた女性が、またしても自ら命を断つという痛ましい事件が起きてしまった。大統領は激怒したという。「過去のこと」とは言い切れない軍隊内部の問題。『D.P.』はシーズン2が準備されているというが、そこにはこのような話も盛り込まれるのだろうか？

ちなみに女性兵士へのセクハラ問題は他国でも問題になっており、日本でも元自衛官の女性が実名での告発に踏み切っている。

実際の戦闘を描いた、映画『ノーザン・リミット・ライン 南北海戦』

最後に映画を一つ紹介しておきたいと思う。すでに述べたようにドラマだけではなく映画でも、現在の韓国軍をテーマにしたものは少ない。朝鮮戦争の映画は多いのだが、その後といえば前章でとりあげたベトナム戦争での韓国軍を描いた『ホワイト・バッジ』ぐらいだった。

その意味でも2015年に公開された『延坪《ヨンピョン》海戦』（邦題『ノーザン・リミット・ライン 南北海戦』、キム・ハクスン監督）は貴重な作品といえる。これは韓国軍と北朝鮮軍の実際の戦闘を描いた映画である。

日本語版のタイトルは何やら勇ましいが、これはとても悲しい映画である。2002年6月

29日に韓国と北朝鮮の間で起きた戦闘（第二次延坪海戦）では、韓国軍の兵士6名が戦死している。艇長ユン・ヨンハ大尉（28歳）をはじめ、亡くなったのはすべて20代の若者であり、そのうちの最年少は大学在学中に徴兵で入隊した20歳の兵士だった。

「僕たちは全員が生きて帰ることを願っていた」

映画は主人公のこの言葉から始まっている。

ちょうどサッカーW杯の日韓大会が行われているときだった。海上警備中の哨戒艇《しょうかいてい》の中で軍務中の兵士たちも、試合が見たくてたまらない。

6月4日のポーランド戦のファン・ソノンの初ゴール、6月10日の米国戦のアン・ジョンファン、そして6月14日、決勝トーナメント進出を決めたポルトガル戦でのパク・チソンのゴール。

映画の中で兵士たちが隠れて見ていたテレビ画面を見ていると、当時の興奮が蘇ってきてしまう。私もその渦の中にいた。準決勝で惜しくもドイツに敗れたものの国民的熱狂は収まらなかった。最終戦はトルコとの3位決定戦であり、それが行われたのが6月29日だった。

延坪沖の哨戒艇の海軍兵士たちも、その日はテレビで試合を見る許可を艇長からもらっていた。遠い外国にいたわけではない。韓国の領域内で国防の任務に当たる彼らのもとにも、当然ながら放送の電波も国民の熱狂も伝わっていた。

ところが、彼らは最後の試合を見ることはできなかった。

その日の午前9時54分、北朝鮮の警備艇が突如北方限界線（NLL）を侵犯してきた。韓国側の哨戒艇は退去警告を繰り返したが、北の警備艇は退かないばかりか、なんと銃撃を仕掛けてきたのだ。

20年前のワールドカップの熱狂と、犠牲者を記憶すること

映画の前半はほのぼのとしたエピソードも多い。厳しい将校とやんちゃな兵士。後輩をいじめる先輩もいれば、優しい先輩もいる。韓国の男性の中には海軍に憧れる人もいるが、そのプライドが感じられる場面もある。

でもそんな日常は瞬時にふっとぶ。

映画の後半では戦闘シーンが再現されている。艇長が戦死した後には、副官が片足を失ったまま抗戦の指揮をとるのだが、彼とて実戦の経験などない。すでに休戦から半世紀、平時の軍隊にあって戦闘は不測の事態であり、それによる死はまったくの想定外だ。ましてや期限付きの徴兵で入隊した兵士のほとんどは、時間さえ過ぎれば満期除隊の日が来ると、本人も家族も

信じていたはずだ。

韓国の映画ポータルサイトには、最年少で亡くなった兵士と訓練所で同期だったという人の書き込みがあった。


本日午前、昌原《チャンウォン》でこの映画を見てきました。泣いてしまうだろうと思って、人があまりない時間を選んだのですが、思ったより観客はたくさんいました。

故パク・ドンヒョク兵長とは訓練所で同じ小隊にいました。一緒に訓練して、寝食をともにした同期でした。

最後に会ったのは第二艦隊配置後の休暇のときで、一緒にカムジャタン（ジャガイモの辛いスープ煮）を食べました。海軍の制服は真っ白なので、そこに汁がとばないように、気をつかいながら食べた記憶があります。

映画は12歳以上観覧可としたせいで、実際の戦闘ほど悲惨ではありませんでした。そのまま再現したら12歳可にはできなかったでしょう。私が艦隊の医務兵から聞いた話では、ドンヒョクの状態はさらにひどく……。

(https://movie.naver.com/movie/bi/mi/reviewread.naver?nid=3943536&code=102272&order=#tab)

映画が韓国で封切られた２０１５年6月以降、観客数は当初の予想をはるかに上回り、累計で６００万人超となった。ただ、作品としてはあまり評価されないまま、むしろ政治的に語られることが多かった。

映画の中にも描かれているように、遺族にとっては金大中大統領（当時）が国のために犠牲となった兵士のもとを訪れることもなく、ワールドカップの閉会式のために日本に行ってしまったことはショックだったし、またワールドカップの余韻の中で犠牲者が忘れられていくこともつらかった。もうこんな国にはいたくないと、他国に移民してしまった家族もいる。

映画がむしろ政治的な対立を煽《あお》ったと言う人もいるが、はたしてそうなのだろうか。少なくとも私はこの映画を見なければ、あのワールドカップの熱狂の陰で壮絶な戦死を遂げた人々に思いを寄せることはなかったと思う。

事件のことはもちろん知っていたし、テレビの緊急速報の文字も鮮明に覚えている。でも亡くなった彼らの年齢や背景を知ったのはずっと後、映画を見たのがきっかけだった。

映画の最後には実際の記録フィルムが使われているのだが、その一つを見て身体が震えた。戦闘で亡くなったユン・ヨンハ大尉は、その2週間前に船上でインタビューに答えていたのだ。

「（ワールドカップの）競技場には行けませんが、全ての国民と一緒に代表チームのベスト16進出を心から応援しています」
（２００２年６月14日付、ＭＢＣニュース）

映画ではキム・ムヨルが彼の役を演じたが、実際のユン大尉はそれよりもずっと童顔だった。

子どもを軍隊に入れる親たちが心配するのは、慣れない軍隊内での生活やいじめ問題もさることながら、やはり「実際の戦争」である。韓国と北朝鮮の間には１９５３年７月に休戦協定が結ばれているが、それ以降にも軍事境界線付近での衝突は起きており、両軍の兵士が犠牲になっている。

「なるべく南北関係が良いときに軍隊に行ってほしい」

文在寅政権下に南北関係が好転したかに見えた頃、そんな声もよく聞いた。兵士の家族や恋人たちが南北間における不測の事態を望まないのは当然だろう。

「ＡＲＭＹは今こそ朝鮮半島の平和を祈る」と、ＪＩＮの入隊について語るＢＴＳファンの気持ちもまた同じだと思う。

第一二章　「タワマン共和国」
——韓国人の住まいとペットの話
映画『猫たちのアパートメント』『はちどり』『ほえる犬は噛まない』

不人気だった猫は20年で主演になった

「20年前は助演だった猫が、今回は主演になった」——というのは、2022年に公開されたドキュメンタリー映画『猫たちのアパートメント』のことだ。第六章でもとりあげた『子猫をお願い』(2001年)のチョン・ジェウン監督の最新作である。女性監督は世界的にも韓国的にもマイノリティなのだが、チョン監督は国内外に分厚いファン層をもつ。よって『猫たちのアパートメント』は日本でも同年末に公開され、全国上映が行われた。外国のドキュメンタリー作品としては、異例のことだという。

この映画は『子猫をお願い』から20年余り、チョン監督にとっては「猫映画、第2弾」となる。ただ作品の性格は大きく異なり、前作では脇役にすぎなかった猫が、今回は主役となっている。カメラも地上ギリギリの「猫目線」。まさに「地を這《は》うような撮影」の、本格的ドキュメンタリー映画である。

実はこの20年の間に猫たちの地位に変化があった。多くの韓国メディアがそれを指摘していて、そこにはチョン監督自身の言葉も紹介されていた。

「20年前は猫が遠い存在でしたが、今はみんなに愛されるようになりました」

（2022年3月7日付、『東亜日報』）

韓国で猫は長らく不人気なだけでなく、忌み嫌う人も多かった。「不吉な感じがする」と。そうやって社会から疎外されていた猫と若い女性を重ねたのが、『子猫をお願い』という映画だった。悔しさを噛み締めながら、それでも自由に羽ばたこうとした韓国の女性たち。

あれから20年、女性たちは再び自分たちの分身である猫を通して、韓国社会を見つめ直すことになった。冷ややかに、呆れた表情で。しかし事態はいつのまにか抜き差しならないものになっていた。猫たちが暮らす団地の再開発が決まり、住民も猫も一斉退去を迫られたのだ。

映画『猫たちのアパートメント』

映画の冒頭シーンでは広大な団地が映し出されている。舞台となった「遁村《トウンチョン》公団アパート」はソウルの江南エリアにあるマンモス団地であり、１９８０年の竣工《しゅんこう》時には「アジア最大」とのほまれも高かったという。

１４３棟に５９３０世帯、当時は１世帯４人家族が平均だったので、ざっくり見積もっても２万人以上が暮らしていたことになる。

この時代の公団アパートは立地も良く、今よりもはるかにゆとりある空間に建てられていた。緑も多く、自然にも恵まれた団地の環境は、住民たちにとって暮らしやすいばかりでなかった。

そこは猫たちにとっても天国のようだった。

映画のナレーションで語られているように、芝生でのんびりと昼寝をする猫たち、ショッピングセンターの前でくつろぐ猫たちの表情は穏やかで幸せそうに見える。

ところが２０１７年に団地の再開発が決定し、しばらくして住民たちの引っ越しが始まった。こちらも「韓国史上最大」の住民移動だったのだが、退去は予想以上にスムーズに進んでいた。

というのは、団地の再開発はすでに2000年代初めから議論されており、それを推進してきたのは、他ならぬ住民たち自身だったからだ。

問題となったのは団地で暮らす猫たちだった。その数は約250匹。20年前は不人気だった猫だが、その後に起きた猫ブームで飼い猫が急増、同時に野良猫や地域猫も増えていった。

解体工事が始まるまでに、猫たちをどこか安全なところに移さなければいけない。そうして結成されたのが「遁村団地猫の幸せ移住計画クラブ」（通称「トゥンチョン猫の会」）である。

メンバーはまず猫たちの顔を見分けるために写真を撮り、イラストを描いてパンフレットを作った。その後に専門家たちからも助言を受けながら、それぞれの猫にふさわしい居住場所を探していく。

住民たちが次々に退去していく中で、カメラは取り残される猫たち目線の高さに合わされる。そこから見える風景の変化に、猫たちは戸惑っている風にも見えるし、われ関せずといった風にも見える。


「どうしたいの？」

「ニャア」

主役である猫の台詞は聞き取れない。「ニャア」は「イヤ」なのか「イイ」なのか？

人のいなくなった団地の風景は、まるで日本の郊外にある寂れたニュータウンにも見えるのだが、事情は真逆である。団地があるのはソウルの人気エリアであり、再開発後には35階建ての超高層マンション18棟の建設が予定されている。新名称は「オリンピックパークフォレオン」、2030年には「新しい街」が誕生する予定だ。

日本でのニュータウン建設は過去の話だが、韓国ではずっと現在進行形である。ソウル中心部の古い街並みも次々に取り壊され、近年は25階建て以上の高層マンション団地が続々と誕生している。

また、初期のニュータウンでも新たな再開発計画が始まっている。その多くが江南エリアの一等地にあり、売却益を得ようとする人々の関心は高まった。居住者には分譲の優先権が与えられるため、それを目当てに老朽化した団地に人々が群がった。ボロボロのアパートが信じられないような価格で取引された。

世界でも比類のない「タワマン共和国」、韓国

韓国語の原題は『猫たちのアパート』である。韓国語の「アパート」という単語は「大型の集合住宅」のことを指しており、日本で言うアパートとはかなりイメージが違う。映画の中に

も「アパート暮らしに憧れていた」という発言があって、日本で映画を見た人の中には、意味がわからずに戸惑ったという人もいた。

今や韓国人の6割が「アパート暮らし」といわれるのだが、この単語を日本語に翻訳するのは難儀だ。翻訳者たちは泣きながら「マンション」と訳したりもするのだが、韓国の「アパート」はいずれも高層で大型の団地形式であるため、日本にある5階建ての小型マンションなどをイメージすると間違える。そちらは「ビラ」という別の名称がある。

翻訳が簡単ではないのはおそらく、日本と韓国では住居形式も、居住スタイルも、住まいに対する考え方も違うからだろう。

「だって韓国人は家を住むところではなく、投機の対象としてしか見ていないから」

韓国の人々はこの件になると自虐的であり、映画の中でも再開発の移転補償を目当てに移り住んだ女性がそれを告白していた。

でも、それは仕方ないと思う。だって韓国の富裕層の多くが、そうやって形成されてしまったから。日本でも「土地成金」という言葉があるが、韓国の場合はそれが「不滅の不動産神話」と言われるほどに、人々を魅惑し続けたのだ。

独裁政権時代は政権周辺の人々の独壇場《どくだんじょう》だった不動産投資だが、民主化以降は一般国民にもそのチャンスが拡大された。一攫《いっかく》千金を狙って不動産投資をする人々が増え続けた結果、韓国は「不動産階級社会」と言われるほど、住まいによる階層の序列化が見える形で進んでしまった。その「不動産カースト」の頂点にある住まいが、「アパート」と呼ばれる分譲マンションなのである。

「え、一戸建てではないのですか？」

他国の人がびっくりするほど、韓国の人々の「アパート」に対する偏愛は激しい。ドラマに出てくるような庭付きの豪邸で暮らすのは財閥ファミリーなどの特別な超富裕層や外国人だけ。ほとんどの韓国人は芸能人など含めて「アパート暮らし」だ。

「韓国はアパート共和国ですから」

映画に登場する「猫の会」のメンバーは自嘲するが、実際に国中が高層のマンション群で埋め尽くされている。シンガポールなど土地の狭い都市国家なら理解もできる。ところが韓国では、土地も自然も豊かな農村地帯でも、人々は一軒家ではなくマンションで暮らすことを望むというのだ。

「韓国は本当にどこに行ってもタワマンだらけ。どうしてなんでしょう？」

久しぶりに韓国旅行をした友人も驚いていた。

映画を見ながらあらためて思ったのは、住まいをめぐる日韓の違いだ。まだ使える家が再開発でなぎ倒される韓国と、放置され続けた空き家が都心でも問題になる日本。激変と停滞のコントラストはすさまじい。ここでは韓国が「タワマン共和国」となるに至った経緯を見てみる。その建国はいつだったのか？

その建国と江南開発

韓国で大型アパート団地の建設が本格化したのは１９７０年代後半である。当初の目的は急激に膨らむ都市人口に対応するためのものであり、日本でも同じ理由で全国に団地が作られた時期があった。大阪の千里《せんり》ニュータウンや東京の多摩ニュータウンなどは有名だが、それ以外でも１９６０年代から70年代にかけて日本全国の市町村に公営団地が造成された。

初期の団地の性格は日韓で共通していたのが、その後はまったく違う展開となった。一足先に団地暮らしを経験した日本の人々の次なる夢はマイホーム、一戸建てに住むことだった。まさに『積水ハウスの歌』に出てくるような明るい住まい。でも韓国の人々の夢はそこには向かわなかった。

１９８０年代に韓国で大ヒットしたのは、ユン・スイルの『アパート』である。軽快なリズムと男性好みの未練がましい歌詞は今でもカラオケの定番だが、そこに登場する「いつも僕を待っていた君のアパート」とは、当時最新の大型分譲マンションのことだった。

韓国の大手建設会社は積水ハウスのような展開はせずに、大型マンション建設に突き進んだ。その「夢の大舞台」となったのは、1970年代に開発が始まった江南エリアだった。「江南開発」は当初は庶民の住居不足解消が理由だったが、実際には富裕層のための開発事業となった。そうなった理由は後で述べる。

狎鷗亭《アックジョン》の「現代《ヒュンダイ》アパート」（1976年〜87年、約6000世帯）、大峙洞《テチドン》の「銀馬《ウンマ》アパート」（1979年、約4000世帯）、蚕室の「チャンミアパート」（1979年、約3000世帯）などはいずれも、当時としてはまだ「ソウル郊外」だった江南エリアに建てられた。そして1988年にはその「江南開発」を象徴する大イベントであるソウルオリンピックが開催された。『猫たちのアパートメント』の舞台となったマンモス団地は、オリンピック公園の真横に位置する。

「江南開発」については、2010年に韓国で放映され大ヒットしたドラマ『ジャイアント』（SBS）に詳しい。全60話という大作だが、通して見ると韓国現代史の闇の部分もよくわかる。

独裁政権時代の開発事業は今の韓国からは想像できないほど暴力的であり、同時代の日本と簡単に比較はできない。もちろん日本でも公共事業においては常に「政治家と業者の不適切な関係」が問題になるのだが、政権と建設会社の癒着で推し進められた大型マンション建設の陰には、それとは比べものにならないほど多くの一般国民の犠牲があった。

最も理不尽な目にあったのは、都市スラムの住民たちだった。ソウルには朝鮮戦争直後から、家を失った人や北からの避難民などのバラックがあちこちに建てられ、広大な都市スラムが形成されていた。それを一掃してマンションに建て替えてしまおうというのが、1961年にクーデターで政権を奪取した朴正熙の「都市再開発計画」だった。

スラムの撤去は強制的に行われ、立ち退きに抵抗した人々は暴力的に弾圧された。人々は住まいを奪われただけでなく、時には大切な家族や仲間も失った。建設事業のために住んでいる家を追われた人々を、韓国では「撤去民」と呼ぶ。

「団地映画」としての『はちどり』

2018年に公開された映画『はちどり』（キム・ボラ監督）には、その「撤去民」のバリケードが登場している。そんな風景を韓国で暮らした人なら、一度や二度は見たことがあるだろう。「タワマン共和国」は常に再開発と撤去を繰り返しながら、どんどん大きくなっていたからだ。

『はちどり』の舞台は1994年の江南区大峙洞、主人公は中学2年生の少女である。

映画の冒頭シーンは示唆的だ。主人公の少女はチャイムを何度も鳴らしながらドアノブをひっぱって「お母さん、開けて」と叫んでいる。ところがどんなに叫んでも母親が出てこない。少女の不安な様子は、見ている私たちも不安にさせる。でもすぐに種明かしがされる。少女は間違えて他の家のチャイムを鳴らしていたのだ。

そこからカメラはアングルを引きながら、少女がいる場所が広大な団地であることを映し出す。そのあまりにも画一的な建築構造の中で、自分の帰る家を見失ってしまった少女。

映画は少女の成長物語なのだが、韓国という国家の物語でもあった。「成長痛」が風景を軋《きし》ませる。経済発展が犠牲にし、民主化運動が積み残したものは何だったのか。女性監督の柔らかな視線は徐々に焦点を定めていく。

主人公の少女ウニ（パク・ジフ）が家族と暮らす団地は、ソウルで最も教育環境がいいといわれる江南エリアにある。今は高層マンションが立ち並ぶ、ソウル有数の高級住宅街となっているが、当時はまだその「始まり」の頃だ。

商店街で餅屋を営む両親は、子どもたちに店の手伝いをさせている。「そんな時間があれば英単語の一つでも」という今は、もう見られない光景だろう。ただしその両親とて勉強にはやかましい韓国の親だ。子どもたちを塾に通わせ、成績が悪いとガミガミ怒る。

街にはそんな地元民と、新規の転入者である富裕層、さらに押し出される貧困層がいる。その貧困層が「撤去民」である。

なぜ住んでいる家を追い出されてしまうのか。ウニはその意味がよくわからない。違和感はそれだけじゃない。「ソウル大学に合格するぞ」と連呼させる教師、長男の受験のために「家族は一致団結せよ」と命ずる父親、その長男は妹のウニを殴っている。

「殴られたら我慢しないで。絶対に殴られたら駄目だから」

新しく漢文塾に来た女の先生の言葉はウニだけに向けられたものではない。ソウル大学で学生運動をしていた彼女もまた挫折感の中にいた。

監督のキム・ボラは1981年生まれであり、映画には監督自身が実際に見たことが描かれているという。そこに通底するテーマは「家父長制」であり、兄の暴力は単なる兄弟喧嘩などではなく、家族内の家父長的ヒエラルキーの象徴である。韓国で長男がどれほど特権的に可愛がられてきたか、この世代の韓国人なら記憶している。

そしてこの家父長制は家庭内だけでなく、韓国社会のさまざまな場面で女性たちを抑圧していた。学生運動や民主化運動なども例外ではなく、それが明らかにされたのは近年のフェミニズム運動の中でだった。

『はちどり』はフェミニズム映画の秀作として、先に紹介した『子猫をお願い』などと並んで紹介されることが多い。もちろん、それに異論はないのだが、この作品は「タワマン共和国」の初期を記憶する「団地映画」としても重要である。

富裕層はなぜ江南に引っ越したか?

すでに述べたように、この映画には団地で暮らす地元民と、新規の転入者である富裕層、そして撤去民という3つの階層が登場する。「タワマン共和国」は階層構造がはっきりしているため、問題意識がそれほど高い人でなくても、この三者が同じ風景の中にいる現場に遭遇したことはあると思う。富裕層と撤去民の関係はまさに「玉突き」のようなもので、押し出す者がいれば、押し出される者がいる。

ではなぜ富裕層が江南エリアに移動を始めたのだろう?

「それは子どもの教育のためでしょう」

韓国に詳しい人なら、韓国の人々がなんらかの行動を起こす際の、最大のモチベーションが「子どもの教育」にあることはよく知っている。映画では「まだ一部富裕層の動き」として描かれているが、しばらくして「教育のための引っ越し」は(時には海外への移民も含めて)、子育て中の家族全体のテーマとなっていった。

「親の転勤で子どもが転校する」のではなく、「子どもの転校のために親が引っ越す」のだ。

他国の人にとっては信じがたいのだが、これがなければ「江南開発」は成功しなかったかもしれない。自国民の教育熱の高さを重々承知し、それを最大限に利用したのは朴正煕大統領（当時）だった。

そもそも「江南開発」は膨れ上がるソウルの人口を、漢江の南に分散させるのが目的だった。建設会社はやる気満々だとしても、人々が動かなければどうしようもない。まだ農地しかない辺境の地へ、人々を移住させるにはどうしたらいいか？

まずは公務員住宅を建ててみたが、すこぶる評判が悪かった。交通も不便だし（当時は地下鉄も未開通）、周辺には商業施設もない。何か魅力がなければ、人々は動かない。そこで思いついたのが「名門高校の江南移転」だった。教育熱心な韓国の富裕層なら、それにつられて動くだろうと考えたのだ。

これには在校生だけでなく同窓会も大反発し、それは大変な騒ぎだったという。しかし独裁政権時代のことであり、大統領の指示は絶対的だ。１９７６年に京畿高校が江南移転したのを皮切りに、なんと15校もの名門高校が半ば強制的に移転することになったのである。

とんでもない無茶ぶりなのだが、結果的にはこれが功を奏して江南に移住する人々が増え、それを当て込んだマンション建築ラッシュとなった。現代建設を筆頭に財閥系の大手建設会社は先を争って、名門高校の移転先周辺に、大型マンションやデパートなど商業施設の建設を進めた。

高校の強制移転から15年余り、1990年代にはすでに「江南は教育環境の良いエリア」という定評ができ上がっていた。当初は富裕層が中心だった「教育のための移動」は、すぐに中間層にも広がった。さらに名門高校だけでなく名門中学も移転し、良い進学塾が密集する地区などの人気も高まった。そうやって頻繁に移動する人々にとってマンションは、一戸建てよりもはるかに利便性が高かった。

2000年代に入ると、イ・ヨンエ（LGジャイ）、ペ・ヨンジュン（キョンナム・アパート）などの、芸能人をイメージキャラクターとした「高級ブランドマンション」のCMも始まった。サウナにゴルフの練習場、フィットネス完備と、マンションはどんどん高級化し価格も上昇した。ソウルや釜山などの大都会だけでなく、地方都市や農村地帯にも現代、LG、サムスン、ロッテなど財閥系の超高層マンション群ができていった。

人々が夢見る明るい我が家のイメージは、それらのブランドマンションとなった。旧市街に一戸建て住宅を所有する人たちも、居住エリアの再開発を待ち望むようになった。再開発が認められれば周辺の地価も上がるため、それを目当てに不動産ブローカーが暗躍した。このままでは取り残されると思った人々も、大挙して不動産投資に参入した。投資熱の高まりは不動産価格をさらに押し上げ、物件を所有する「大家」はどんどん金持ちになる一方で、賃貸で暮らす人はますますジリ貧になっていった。「タワマン共和国」は構造的に格差を広げる。

映画『ほえる犬は噛まない』が描いた団地内の文化摩擦

最後にもう一つだけ「団地映画」を紹介しておく。ポン・ジュノ監督の長編デビュー作である『ほえる犬は噛まない』（2000年）もまた、大型マンション団地を舞台にした映画である。ただし、これは『猫たちのアパートメント』のように心が温まるような話では決してない。ポン・ジュノ流の暗さと残酷さとブラック・ユーモアが詰め込まれた「とんでもない話」であり、その構造は20年後のアカデミー賞作品『パラサイト』の原型とも言われている。そう言われて見直してみると、面白いほど両者には共通点がある。

それについては映画評論家の四方田犬彦氏が書かれた「蚕室四洞薔薇アパート」（『われらが〈無意識〉なる韓国』作品社、2020年）というエッセイがとても参考になる。ちなみにタイトルの「蚕室四洞薔薇アパート」というのは、「その建国と江南開発」のところでふれた蚕室の「チャンミアパート」（チャンミは薔薇という意味）のことである。

四方田氏は1979年に韓国の大学に勤務した際、完成したばかりのこの大型マンションの一室を間借りするのだが、実は当時小学生だったポン・ジュノ監督もそこで暮らしていたのだという。ポン・ジュノ監督は最古参の「団地キッズ」であり、その空間感覚が作品にも影響しているのではないかと、四方田氏は述べている。

それとは別に、私がこの映画に関心をもったのは「犬映画」だったからだ。この映画の翌年には『子猫をお願い』が公開されて、犬と猫が出そろった。監督のポン・ジュノとチョン・ジェウンはどちらも1969年生まれである。男であるポン・ジュノが「ソウルの犬」、女であるチョン・ジェウンが「仁川の猫」というのが興味深かった。さらに面白いなと思ったのは、どちらの映画にも当時はまだ無名だったペ・ドゥナが出ていたことだ。

そして今、この『ほえる犬は噛まない』を「団地映画」という視点で見ると、20年前の韓国が、「団地文化」形成の過渡期にあったことがわかる。この映画に描かれる「文化と常識の対立」はしばらくして韓国全体に広がり、結果的には韓国社会の大幅な意識変革につながっていく。

たとえば、当時はまだマンションで犬を飼うことに賛否があったのだった。

映画は団地内に響き渡る小型犬の鳴き声から始まる。うだつの上がらない大学の非常勤講師ユンジュ（イ・ソンジェ）は、それでなくてもストレスの日々が続いていたのが、犬の鳴き声でイライラはマックスとなる。

そんなときに偶然見かけた犬を鳴き声の犯人だと思い、つかまえてマンションの地下室に閉じ込めてしまう。当時の大型マンション団地は駐車場が外にあり、地下には広大な空間があった（『猫たちのアパートメント』ではこの地下空間が、猫たちにとって絶好の住《す》み処《か》になっていると解説されている）。

同じ頃、マンションの管理事務所には「飼い犬がいなくなった」という小学生があらわれる。職員のヒョンナム（ペ・ドゥナ）は生真面目な性格で失踪した犬を捜すのだが、その過程でまたしても別の犬の事件に遭遇する。

映画には犬をめぐってさまざまな立場の人が登場するが、大きく分けると次の3つだ。

①マンションで犬を飼う人。
②マンションで犬を飼うことに反対する人。
③マンションで犬を食べてしまう人。

この映画が撮影された当時の韓国で、この3種類の人々はいずれもお互いが理解できなかった。映画では性別もきちんと分けてあり、①はすべて女性、②と③が男性である。

映画の中で②の男性は、ペットショップでプードルを買ってきた妻に向かって、こんなふうに抗議する。

「ここはマンションだぞ。犬を飼うのは禁止されている。実家は一戸建てだから、そっちに連れて行く」

そうだった。当時はまだマンションでペットを飼うのは禁止されていたし、家族の中で父親たちの権限は強く、男系家族の結びつきも盤石《ばんじゃく》だった。ところがそれはあっという間にひっくり返る。映画の中では男性の権威が失墜していく過程が見事に描かれている。

「このままでは犬以下になってしまうかもしれない」

その恐怖心と無駄な抵抗が映画のリアリティを高めている。

それがいかに無駄な抵抗だったのかは、マンションでペットと暮らすのが一般的となった今となっては自明すぎる。そして映画から数年後には女性たちの反乱が起きて、戸籍制度などの「法的な家のしがらみ」も一掃され、女性たちの地位は上がっていく。

「タワマン共和国」の今後

韓国がどのように「タワマン共和国」になったのか？　その過程をふりかえることは独裁政権や民主化という現代史の流れや、経済成長がもたらしたライフスタイルの変化を知ることになる。

独裁政権と建設会社の癒着、土地成金と不動産投資など、韓国では負の側面が語られることが多いのだが、実際に暮らしてみるとやはり韓国の大型マンション暮らしは快適である。

室内は広々としているし、寒い冬でもポカポカのオンドルが暖かい。暮らしに必要な商業施設もそろっているし、子どもたちの保育園なども敷地内にある。学校や塾も近い。エレベーターとワンフロアの暮らしは高齢者にとっても便利であり、農村部でもマンション暮らしを好むというのはよくわかる。

「もう歳《とし》だから、楽をしようと思って自宅を売ってマンションに入った」

私がソウルで暮らしていたマンションには、そんな高齢夫婦が2組いた。韓国の人々は子どもの成長や家族構成の変化にともない頻繁に家を住み替える。高齢者のデイサービスなどにも、大型団地は効率がいい。

そうなのだ。効率化、最適化という点では、「タワマン共和国」は理想的なのである。

2000年代初めに、他国よりも早く韓国でインターネットが普及したのは、「集合住宅が多いから」といわれた。初期のADSL回線では圧倒的に優位だったと思う。ケーブルテレビも同様だった。一軒一軒に線をつなぐ必要がない。マンション全体でやってしまえばいいのだ。

さらにいえば、最近は住まいによる階層化が進んだことで、同じマンション団地に暮らす人々の生活スタイルも似ている。高級団地には高級車が並び、庶民向け団地には庶民の車が並ぶ。それはそれで居心地がいいかもしれない。

しかし、それだけでいいのかと、韓国の人々はずっと考えている。再開発が決まった『猫たちのアパートメント』では、猫を一匹一匹確保して移動させるという非効率な活動をしながら、女性たちは自らの生き方を見直していく。

10階建てが35階建てになり、さらに50階建て、70階建てもある。釜山では100階建ての入居も始まっている。展望は素晴らしいというが、はたしてそれがみんなが望んだ明るい未来の姿だったのか。人々は考え始めている。

第一二章　映画『別れる決心』とパク・チャヌク監督のこだわり

――主題歌『霧』や中国朝鮮族のことなど

「映画は映画館で見てほしい」

カンヌ国際映画祭での監督賞受賞から9ヵ月、日本では2023年2月に公開となった『別れる決心』だが、韓国ではその前に配信が始まってしまっていた。

「Netflixで少しずつ見て、ちょうど半分まで来た」

韓国人の友人に言われたときは、ショックだった。彼女は映画が大好きで、話題作は封切り目がけて駆けつけた人だったのに……。

「でも大丈夫、ちゃんと見るから。そしたら感想を語り合おうね」って、もちろん、それでもいいのだけど。

韓国は以前から劇場公開と配信の同時スタートというサービスがあった国だし、映画公開から6ヵ月での配信開始は仕方ないと思いつつも、それでもやはり残念な気がする。せめてこの作品に限っては映画館で見てほしかったと、少し恨めしい気持ちになった。

「パンデミックで壊滅的になった映画と映画館を守る」

「映画は映画館で見よう」

パク・チャヌク監督はカンヌの受賞インタビューなどでも再三訴えてきた。日本では韓国映画は元気モリモリというイメージもあるようだが、パク・チャヌクをはじめ、映画関係者はかなりの危機感をもっていた。だから彼はカンヌから帰国した足でソン・ガンホと一緒に大統領官邸に行って、「映画業界を支援してほしい」という要請もしたのだ。

日本で考える以上に、パンデミック下の韓国映画業界は大変だった。韓国政府の新型コロナ対策は徹底しており、その行動制限は日本よりもはるかに厳しかった。映画館の多くが開店休業状態となり、さらに映画の制作中止や延期が相次いだことで、制作現場も人材の多くが大盛況のドラマのほうに流れてしまった。

2022年4月にようやく多くの制限が解除され、夏以降には映画館にも人が戻ってきたが、それでもまだパンデミック前の約半分だという。若い人々の戻りは順調だけれど、くだんの友人のような40代以上の大人たちが問題だった。

「コロナのせいで映画館に行くのが億劫《おっくう》になってしまった」

でも韓国映画を支えてきたのは彼女たちの世代だ。『シュリ』（1999年、カン・ジェギュ監督）や『JSA』（2000年、パク・チャヌク監督）で韓国映画のビッグウェーブが始まったときに20代だった人たち。もちろん仕事も家庭も今が一番忙しいときだろうから、1本の映画を少しずつ分けて見るのも仕方ないのかもしれない。

もっとも、不景気な話ばかりではない。2022年の韓国映画は記録的なヒット作も生み出した。マ・ドンソク主演のアクション映画『犯罪都市 THE ROUNDUP』（イ・サンヨン監督）は観客数1200万人超で殿堂入り。人口5000万人の国で1200万人とは恐ろしい数字なのだが、韓国では時々こんな「1000万人映画」が登場する。

なぜ、同じ映画を何度も見るのか？

『別れる決心』はそういうタイプの映画ではない。

観客数は2022年末までに198万人。7月の時点では収益分岐点である150万人が超えられるか心配されていたが、熱心なファンに支えられてロングランに持ち込めた。

そもそもパク・チャヌクの映画はみんなでこぞって見に行く「国民的映画」のようなものではなく、映画好きのための映画。もっと言えばパク・チャヌク好きのための映画かもしれないし、繰り返し何度も見たくなる映画である。

6月末にソウルの上映館で行われた監督のトークイベントは、そんな若い映画ファンでいっぱいだった。

「何回見ましたか?」の質問に、「2回見た」「3回見た」「もっと見た」と、ほぼ全員が複数回見ていた。かくいう私はまだ2回、あのBTSのRMはなんと5回も見たそうだ。

「BTSの彼には知人を通して試写会の招待券を送ったのですが、何かの手違いで届かなかったみたいですね。自分でチケットを買って見てくれたようです」

パク監督はそんなことも言っていたが、RMの立場からすればメディア関係者が集まる試写会よりも、一人でゆっくり見たほうが気楽に違いない。

複数回見たという人が多いのは、なぜだろう? 一度見ただけではよくわからないし、もっとわかりたいと思うからか。この映画のミステリーは犯人捜しだけではない。最大のテーマは二人の関係性、「愛」の謎解きをしたい。それはいつ始まって、どう展開していったのか。

あらためて思ったのだが、2時間余りの「映画館の時間」が心地よい。スマホも切って、作品にだけ集中する時間は心のデトックスだ。そのために『別れる決心』はとてもよい。

「特殊効果や派手な場面のない映画こそ、映画館で見るべき」という意見はよく聞くが、全面的に賛成だ。ジェットコースターに乗るような爽快感はないが、自分の心の動きに寄り添うことができる。

映画の舞台、イポという原発のある街

近作の映画でもあるし、ネタバレがないように最大限の注意を払いたい。その上で今回も映画の背景にある韓国社会について、一般的な映画評ではあまりふれられないことなども書いていきたいと思う。

映画の舞台となっているのは、韓国南部にある釜山とイポという街だ。釜山は実在の街だが、イポは実際の韓国地図にはない架空の街である。

イポは原子力発電所のある街だ。主人公の刑事ヘジュン（パク・ヘイル）は平日は勤め先の警察署がある釜山で暮らし、週末だけはイポに来て夫婦の時間を過ごす。

原発で働く妻はエリート技術者であり、「全国で最年少の原子炉監督」と報道もされたようだ。夫婦には寮生活をする中学生の息子がいるが、「妻に似て理系」であるために勉強が忙しく、映画には登場しない。

韓国にはこうした「週末夫婦」は少なからずいて、映画の中にも「週末夫婦の10組に6組は真剣に離婚を考えている」という台詞が登場する。しかし二人の夫婦関係は盤石だという前提で、映画はスタートする。

すべてに明確な理系の妻に従う夫も生真面目な性格だ。仕事も家庭も定規で線を引くように

几帳面《きちょうめん》にこなしてきたのだが、ある事件をきっかけに眼の前の風景がぼやけていく。
映画はその事件から始まる。定年退職した元出入国管理局の職員が、山登りに行って山頂から転落した。彼には若くて美しい妻ソレ（タン・ウェイ）がいた。
主人公の二人は担当刑事と被害者の妻として出会った。

「中国人だから韓国語が苦手です」

アクセントのある、いかにも外国人とわかる韓国語で彼女は話す。

「山から帰らない時は心配しました。ついに死ぬのかと」
「ついに？」

この「ついに」という単語は随所に登場するのだが、彼女の使い方は少し不自然だ。間違ってはいないのだが、韓国人ならこういうふうには使わない。そこで刑事はわざと言う。

「僕より韓国語が上手ですね」

外国人が話す少し変わった韓国語。その微妙なズレが映画の重要なメタファーとなっている。どう受け取っていいのか戸惑う刑事のもやもやとした思いは、そのまま深い霧になって視野を妨げる。

イポは霧の深い街である。韓国で「ポ（浦）」がつく地名は海辺や川辺を意味している。この映画の主題歌も『霧』である。

パク・チャヌクが主題歌『霧』にこだわった理由《わけ》

「中国人の妻」は訪問介護の仕事をしている。韓国でも介護職は日本と同じく慢性的な人手不足で、その大部分は外国人労働者の仕事となっている。彼女たちは一つの国で暮らしながらも影のような、身近にいながらも顔が見えない存在である。そんな存在が映画のヒロインとして登場したことは特筆すべきことであり、それについても後でふれたいと思う。

訪問介護先の高齢女性は身体が不自由であり、介護の人が来るのを待ちわびて暮らしている。そんな彼女の友だちはスマホである。声をかけて、曲をリクエストする。

「ねえSiri、歌をかけて、チョン・フニの『霧』」

韓国人なら誰もが知る韓国歌謡の名曲中の名曲である。1967年に同名映画の主題歌としてリリースされたのだが、映画よりも曲の方が大ヒットして、当時まだ16歳だったチョン・フニはスターとなった。

パク・チャヌク監督も幼い頃からこの曲が大好きだったという。この曲を主題歌にできる映画を作りたいというのが、『別れる決心』のそもそものきっかけだった。

高齢女性のスマホから始まり、さまざまなシーンにこの曲が挿入されているのだが、驚いたのはエンディングだ。衝撃的なラストシーンの後、エンディングロールとともに主題歌が流れ、そこではチョン・フニの声に男性の声が重なっている。完璧だ、と思った。

どこかで聞き覚えのある声なのだが、誰だかわからなかった。映画館から出て急いで調べたら、ソン・チャンシクであることがわかった。彼もまた韓国人なら誰もが知る韓国フォークの大御所であり、大ヒット曲『鯨とり』（1975年）を歌った人だ。

彼も若い頃この『霧』をカバーしており、それを知ったパク・チャヌクは映画のために二人にデュエットを切願したという。

ソン・チャンシクは二度にわたる喉の手術をしており、「もう昔の声は出ない」と固辞したそうだが、それをチョン・フニが説得した。そうして実現したのがエンディングのデュエットだ。パク・チャヌクは「生涯の夢が叶った」と喜び、また韓国のテレビ番組も二人を呼んでスタジオでのライブを実現させた。

この映画について書くにあたり、この『霧』にあたる曲は日本では何だろうと、ずっと考えていた。同時代の日本で女性歌手のヒット曲といえば、由紀さおりの『夜明けのスキャット』（1969年）とか青江三奈の『伊勢佐木町《いせざきちょう》ブルース』（1968年）あたりが有名だろうか。ただ、『霧』はそれよりもはるかに、韓国の人々にとって「ソウルソング」であったことが、今回の映画を通して再認識された。これまでも多くの人がカバーしてきたし、BoAのバージョンなども知られていた。そして、今また新たなデュエットが生まれたのだ。

もともと映画音楽だった『霧』は、そこから国民的歌謡曲となった。それが巡り巡って映画のアイディアとなり、再び映画音楽となって蘇る。その大衆芸術のリレーに参加できたことを、パク・チャヌクはとても喜んでいた。

『別れる決心』は韓国のアカデミー賞と言われる「青龍映画賞」で、最優秀作品賞をはじめ主要6部門のすべてを受賞した。映画祭のステージでチョン・フニがこの曲を歌ったとき、主演女優賞を受賞したタン・ウェイは会場で涙を流していた。

中国人女性と韓国人男性の恋愛

タン・ウェイとパク・ヘイル。カンヌ国際映画祭に『別れる決心』が『ベイビー・ブローカー』（是枝裕和監督）と並んで出品されたときの感動は、このキャスティングのせいもある。長年のパク・ヘイル推しというのもあるのだが、それよりも中国のスター女優がパク・チャヌクの映画に出て、ソン・ガンホやＩＵが是枝監督の映画に出るというハイブリッドが嬉《うれ》しかった。欧米では見慣れた光景でも、やはり東アジアの映画人が国籍を超えてカンヌの舞台に並ぶ図は壮観だった。もちろんカンヌだけじゃないし、アジアだけじゃないが、それでもアジア映画の長い共同作業の時間を思うと感無量である。

韓国人と中国・香港映画との関係は深くて長い。まだ下積み時代のジャッキー・チェンが韓国で活動していたことはよく知られており、ワールドスターになった後の彼も、韓国を訪れるたびに過去の思い出と感謝を韓国語を交えて語っていた。また独裁政権下の厳しい検閲や日本映画上映禁止の時代には、香港映画がある意味ではハリウッド映画以上に韓国で大衆的な人気を得ていた。

２０００年以降に数々のヒット作を生み出した韓国ノワールの監督たちは、いずれも香港映画の影響を強く受けており、作品にもそのオマージュが盛り込まれている。たとえば韓国ノワールの第一人者ユ・ハ監督の『マルチュク青春通り』（2004年）は監督自身の自伝的要素が強い作品と言われるが、主人公の高校生を演じるクォン・サンウがブルース・リーに傾倒してヌンチャクを振り回すシーンが印象的だ。映画の中で当時の男子高校生たちが「小龍か、成龍か」と、香港の二大カンフー・スターをめぐって言い争う様子も微笑ましい。

カンフー映画や香港ノワールは特に男性に人気があったが、女性たちの中にも香港スターのファンは多く、『チャンシルさんには福が多いね』（2019年、キム・チョヒ監督）のような女性監督の映画にも、いきなりレスリー・チャンの幽霊が登場したりもする。

日本にもかつて香港映画ファンは多かったが、おそらく韓国での人気はそれ以上であり、2000年代に入ってからは、韓国映画の側からの共演オファーが続いていた。

今回のような韓国人と中国人の恋愛を素材にした映画としては、セシリア・チャンとチェ・ミンシクが共演した『パイラン』（2001年、ソン・ヘソン監督）を皮切りにさまざまな作品が出ているが、いずれも韓国人男性と中国人女性という組み合わせが多いようだ。これはおそらくアジア市場における「韓国の男性スター」の集客力が関係しているのだろうが、やはり中国女性への憧れもあるのだと思う。

タン・ウェイは以前にも『レイトオータム』(2010年、キム・テヨン監督)でヒョンビンと共演しているが、このときのタン・ウェイのキャラクターにも、寡黙ながらまっすぐな強さがあった。この作品も古い韓国映画の名作『晩秋』(1966年、イ・マニ監督)のリメイクであり、「大人の恋愛を描いた」と評されている。

ただ『レイトオータム』の舞台は米国シアトルであり、韓国人も中国人もアジア系マイノリティという「ある意味で平等な立場」だった。それは親族を頼って韓国にやってきた末に偽装移民となったパイランや、韓国で父親ほどの年齢の男性と結婚した『別れる決心』のソレとは立場が違う。

マイノリティとしてのソレ

ソレはあくまでも在韓外国人というマイノリティの立場であり、韓国社会の一般的な認識では「弱者」である。一方で、刑事であるヘジュンは圧倒的な「強者」の立場なのだが、その強弱の関係が揺らいでいく。愛はスリリングだ。

現実の韓国社会で暮らす中国人女性といえば結婚移民としてやってきた妻であったり、すでに述べたように介護職や家政婦、飲食店などで働く低賃金労働者が多い。

韓国で「結婚移民者」というのは在韓外国人の在留資格を表現する言葉でもあり、韓国政府の統計によれば2021年現在で約16万8000人となっている。そのうちの8割が女性である。

国籍別では「中国」（約4万6000人）が圧倒的に多く、次に「ベトナム」（約3万8000人）、そして「日本」（約1万4000人）、「フィリピン」（約1万2000人）が続く。

中国国籍者の中には「朝鮮族」（1万4000人）と「それ以外の中国人」（3万2000人）がいて、最近は後者のほうが多くなっている。「朝鮮族」の場合は韓国人と同じ民族であることから、現在では特別な就労ビザが得られるため、以前のように結婚までして移住する理由がなくなった。そのために結婚移民の率は減ったのだと分析されている。

映画『別れる決心』の中では、ソレの背景が説明される場面がある。

「2015年8月17日、海洋警察は中国からの貨物船による不法入国者を摘発しました。他の37人は追放されたが、ソレさんだけ残った」

「母方の祖父は満州朝鮮解放軍のケ・ボンソク氏、祖父は建国勲章、独立功労者」

また映画の公式ホームページの登場人物紹介では、ソレについて次のように記されている。

中国人だが、母方の祖父は朝鮮半島の独立運動家であり、自分の先祖の歴史と祖父に誇りを持っている。

中国朝鮮族と独立運動家

中国人だが、母親の祖父は朝鮮半島の独立運動家。その祖父は満州にいた。

旧満州は現在の中国東北地方である。中国の少数民族のうち朝鮮族は約200万人といわれるが、その大部分は遼寧《りょうねい》省・吉林省・黒竜江省の「東北三省」に暮らしている。北朝鮮との国境近くの延辺には朝鮮族自治州もあり、そこでは朝鮮語による学校教育も行われている。その地域における朝鮮系の人々の歴史は古代に遡るが、近代においては日本帝国主義の影響も大きい。

映画との関連でいえば、日本の植民地時代に独立運動家たちは、国内での弾圧から逃れて中国での活動を広げていった。ソレのように、その独立運動家の直系の子孫にあたる人々もいるし、朝鮮族の間にはコミュニティ全体として独立運動を支えたという自負心もある。

韓国が中国との正式国交を結んだのは1992年だが、その少し前から朝鮮族の人々の一部が韓国に出稼ぎに来るようになった。当時の韓国にはまだ外国人労働者を正式に受け入れる法制度がなく、不法滞在のような形になる人々も少なくなかった。

当初は「同じ民族」「独立運動を支えた人々の子孫」として歓迎された朝鮮族の人々だったが、中国と韓国の経済格差が両者の間に上下関係を作った。

さらに韓国政府はIMF危機のさなかの1998年に、海外で暮らす韓国系（主に米国系韓国人）の人々からの支援を得ようと「在外同胞特別法」という法律を制定したのだが、それがまた差別的なものだった。法律は韓国内での居住やビジネスの自由を保障するものだったが、そこから中国やロシアに住む「同胞」は除外されてしまったのだ。

「金持ちの国に住む子どもと貧乏な国に住む子どもを差別する祖国」と朝鮮族の人々は怒り、韓国政府と韓国人に対する不信感を募らせた。

法的な未整備状態は、韓国で働く朝鮮族の人々の立場を不安定にし、そこにつけこんだ悪徳ブローカーによる詐欺事件なども頻発した。先に紹介した『パイラン』や『海にかかる霧』（2014年、シム・ソンボ監督）などの映画はこの時代を背景にしている。『海にかかる霧』は実話ベースであり、2001年に起きた密航船事件が元になっているのだが、犠牲者たちがどれだけひどい目にあったのか、リアルな映像は正視できないほどだ。

その後に、韓国政府は何度かの法改正を通して朝鮮族の人々への差別解消に努力したのだが、現実の韓国社会では今もまださまざまな問題が残っている。滞在や就労は合法化されても働ける場所は限られており、韓国という階層社会の中での地位は決して高くはならない。

映画『別れる決心』には、ソレが祖父の遺骨を山に埋めるシーンが出てくる。全体の流れとの関係性は見えにくいのだが、ここはとても重要な場面だと思う。

韓国には現在、約60万人の朝鮮族の人々が暮らしていて、ひとりひとりには大切な個人史がある。ところが彼らの多くは顔の見えない存在であり、映画などでもそれが丁寧に扱われることはなかった。

韓国映画で消費されてきた、ステレオタイプの在韓中国人

映画はむしろ、差別に加担してきた。

これは以前から散々言われてきたことだが、韓国映画における在韓中国人・朝鮮族の描かれ方はとても偏っていた。『哀しき獣』（2010年、ナ・ホンジン監督）、『ミッドナイト・ランナー』（2017年、キム・ジュファン監督）、『犯罪都市』（2017年、カン・ユンソン監督）など、いずれもスター俳優が出演する大ヒット作なのだが、それらに登場する朝鮮族の人々といえば、常に「密航者」や「不法滞在者」、「麻薬の密輸」や「臓器売買」など、犯罪者として登場する

ばかりだった。

外国系住民を巨悪なマフィアに仕立て上げるのは、エンタメとしては「お手軽な手法」なのかもしれないが、いくらなんでも韓国映画はひどすぎたと思う。なかでもソウル市内のチャイナタウンを悪の巣窟のように描いた『ミッドナイト・ランナー』は、映画の中の台詞に露骨なヘイト表現などもあり、見ていて声を上げてしまうほど驚いた。

さすがにこの映画は当事者である中国系の人々から訴えられて裁判に至った。裁判所の指示に従い制作者は謝罪をしたが、すでに損なわれてしまったイメージを回復するのは難しい。ちなみにここに登場するチャイナタウンは、第六章でとりあげた仁川のチャイナタウンとは違い、1990年代半ばから朝鮮族の人々などを中心に形成された新しいチャイナタウンだ。従来の在韓華僑をオールドカマーとするなら、ニューカマーの街という言い方ができるのかもしれない。

悪のイメージを押し付けられたニューカマーの男性たちに比べると、女性たちはまだましだったのだろうか？

朝鮮族のヒロインたち

朝鮮族女性のヒロインといえば、『ダンサーの純情』（2005年、パク・ヨンフン監督）が有名だ。こちらもまた「偽造パスポート」で入国した女性なのだが、その役を演じたのは当時大人気だった「国民の妹」ムン・グニョンということで大いに話題になった。

この原稿を書くにあたりもう一度見直してみて、とても懐かしい気持ちになった。たしかにあの頃は朝鮮族の若い女性といえば、「田舎から出てきた遠い親戚の子」みたいなイメージがあった。それを守ってやる正義の味方としての韓国男性という構図は、今だったらウケないだろうなと思う。

異色だったのは2016年に公開された『Missing：消えた女』（イ・オンヒ監督）である。日本語タイトルは『女は冷たい嘘をつく』となっているが、これは原題からも内容からもかけ離れている。どうしてこんなタイトルになっているのか謎すぎる。

これは韓国では珍しい女性のツートップ映画であり、一人はドラマ制作会社に勤めるシングルマザー、もう一人が中国人のベビーシッターという組み合わせだ。

韓国では介護職と同様、家政婦やベビーシッターも、主に外国人労働者の仕事である。特に富裕層ではなくても、住み込みや通いの家政婦さんを雇う人が結構いて、その際には低賃金で働いてくれる外国人女性が好まれる。このあたりの事情はシンガポールなどの中華圏に近く、日本とはかなり違う。

映画に出てくるシングルマザーは子どもの親権をめぐって訴訟中であり、孫を渡すまいとする義母との関係なども丁寧に描かれている。さすが女性監督の作品だと思わせる視点が随所にあり、フェミニズム映画としても大変な秀作だと思う。また韓国の農村における結婚移民者への暴力や人権侵害についても言及してあり、日本語版のタイトルからは想像もできない意欲作である。

この映画もミステリー仕立てであり、当初の予想とはまったく違った方向に物語は展開していく。事件の鍵を握るのは中国人ベビーシッターのハンメなのだが、そもそも彼女は中国人なのか、同胞である朝鮮族なのかもわからない。

物語はこの人物の謎を解いていくという、まさにミステリー映画の王道をいくのだが、その際に大雑把なステレオタイプはむしろ邪魔になる。人々の予想を裏切りながら事件は解決に向かい、それと同時にハンメという女性の謎も解かれていく。そのとき、映画のテーマもはっきりと浮かび上がり、スッキリとする。

そこが『別れる決心』とは違う。『別れる決心』は一度見ただけでは、スッキリとはしない。最後まで見ても、ソレという女性の謎は解けない。

『別れる決心』は、これまでの韓国映画のステレオタイプとの、文字通りの決別だったと思う。この映画のヒロインのまっすぐな眼差《まなざ》しは、人々のあらゆる先入観や願望をすり抜け、逆に制圧するほどの強さをもつ。

そもそも人間はミステリアスなものなのだ。それでも手がかりがほしいと、何度も映画を見てしまう。パク・チャヌクという人が描こうとした人間は、いったいどんな姿なのか。

映画の中でヘジュンはしきりに目薬をさしている。そうすれば目の曇りがとれるのか。霧が晴れれば、何かが見えるのだろうか?

冒頭に「映画は映画館で」と書いたものの、これを書きながら旧作などは完全に配信に頼っていた。映画館でも見られるし、配信でも見られる。やはり映画にとって良い時代になったのだと思う。それでも『別れる決心』は、映画館で見て、本当によかったと思っている。

あとがき　韓国社会の変化に学ぶこと

1990年代の数年間、韓国の番組制作会社で働いていたことがある。オフィスは江南駅の近くにあり、30代後半の社長は運転手付きの外車に乗るほど羽振り良く……見えたのだが、実は真逆で火の車。いつも資金繰りに追われていた。

彼は追い詰められると、逃げるように日本に行った。2泊3日の東京出張は、ホテルでテレビを見まくり、書店で本を買い漁《か》《あさ》り、秋葉原に行って中古の撮影機材を物色する。

彼は帰ってくると毎回、見違えるように元気になっていた。

「ジュンコサン、日本はすごいよ。1回行けば番組企画が10本はできる。わはは……」

たしかに韓国のテレビ局はその頃、政治分野は別として、芸能・文化・教養系などはもれなく「日本に学べ」ムードだった。中には日本の劣化コピーのような番組もあり、それらは「日本のパクリ」と叩かれもしたが、そもそもオリジナルは米国だったとか。「水は低きに流れ」というやつだろうか。

うちの社長はもっと真剣に日本から学ぼうとしていた、が、如何《いかん》せん資金がない。せっぱつまると秋葉原で買った中古機材を同業者に売りつけたり、荒唐無稽なアイディアを出したりして私を怒らせた。

「ジュンコサン、これを輸入して一儲けしよう。すぐに日本に電話してください」

目の前に出されたのは「太田胃散」の丸い缶。「うちは番組制作会社ですよ。製薬会社じゃない！」と声を荒らげたら、とても驚いていた。

「わかります。あの頃の日本はキラキラしていました。目に入るものすべてが魅力的だった」

同じ頃、研修で日本に行ったテレビ局の新人プロデューサーは、まずは自動販売機のジュースの種類に圧倒されたと言っていた。

「これを全部飲んでみるまでは帰れないと思いました」

そこまでしなくても、と思うほど彼らは一生懸命だった。

「追いつきたいという以前に、ただ、ただ、日本が羨ましかったですね」

あれから30年、今は日本から見た韓国がキラキラしてまぶしい。世界のサムスンが牽引するデジタル先進国、人々を魅了するK－POPや韓国ドラマ、国際映画祭のレッドカーペットでも今や彼らは常連である。それだけではない。環境や人権などの分野でも、社会のイノベーシヨンはどんどん進んでいる。驚いたのは生ゴミのリサイクル率が90%を超え、ついにドイツを抜いて世界1位となったというニュースだ。河川の浄化も進み、鳥や魚が戻ってきた。家の近所を走るコミュニティバスもいつのまにかEV車に替わっていた。

「今は韓国のほうが先進国ですよね。学ぶことばかりだと思います」

そんなふうに言われることも多いのだが、あまり端折《はしょ》らないほうがいいと思う。韓国だって一朝一夕に今のような発展をなし得たわけではない。人々は私たちが想像する以上の努力をし、また犠牲も払ってきた。最近になって、自分が経験した過去の話をするようになったのは、そこから今にいたる「変化の過程」を知ってほしいと思ったからだ。

※

本書は2022年1月に刊行された『韓国カルチャー　隣人の素顔と現在』の続編にあたる。韓国のドラマや映画、あるいは小説などを通して、韓国の豊かな文化、カルチャーを知る。前著では主に人々の衣食住にまつわる生活文化や、家族や親族と友だちとの関係などについて、また字幕では伝わりにくい韓国語のニュアンスなどについて書いた。

基本的なコンセプトは同じなのだが、今回は歴史や社会の変化に重点を置いている。それもあって、前回に比べるとドラマよりも映画の比重がかなり増えている。変化の過程を知るために、あえて旧作の中からも重要な作品を選んだ。新書化にあたって大幅な修正加筆をした章もある。

たとえば第四章では朝鮮戦争を知るために、時系列に沿って『ブラザーフッド』『戦火の中へ』『スウィング・キッズ』『高地戦』という4本の映画を選んだ。1950年6月の開戦から、1953年の休戦協定まで。朝鮮戦争の歴史が一通りわかるようなラインナップにしたのだが、それに加えて重要だと思ったのは映画の制作年である。

最初の『ブラザーフッド』が公開された2004年から『スウィング・キッズ』の2018年までに、14年間が経過している。4本の映画には作られた時期によって、監督の問題意識に違いがある。

2000年代初めには、北朝鮮兵を人間的に描くこと、韓国側の過ちも認めることが、最大のチャレンジだった。その14年後には、なんと捕虜収容所でタップダンスを踊る北朝鮮兵が登場している。背景には時代と国民意識の変化があり、そこが非常に興味深い。

また、第六章の『子猫をお願い』（2001年）と第一二章の『別れる決心』（2022年）では、日本ではあまり知られることがない韓国のマイノリティー、在韓華僑と中国朝鮮族の歴史にふれた。二つの映画の公開時期には20年余りの開きがあり、また登場人物も同じ在韓中国人ながらオールドカマーとニューカマーの違いがある。

実は『子猫をお願い』の中にも、ニューカマーの人々は登場していた。港に停泊する船から人々があふれ出るシーンで、チョン・ジェウン監督は主役のペ・ドゥナに、「あの人たちはどこから来てどこに行くのかな?」とつぶやかせている。

韓国社会はその後も彼らとの関係を上手に構築できずにいる。それでも20年の間には何度も法改正が行われ、着実に前には進んでいる。日本も見習いたいところがたくさんある。

チョン・ジェウン監督は2022年『猫たちのアパートメント』というドキュメンタリー映画を発表しており、その中に登場する「韓国はアパート共和国」という台詞をヒントに書いたのが第一一章である。そこでは韓国の経済発展の土台となった不動産開発、その象徴である「江南開発」についてふれた。

この章で私は「団地映画」という言葉を使った。韓国にそういうジャンルがあるわけでないが、『ほえる犬は噛まない』(2000年)と『はちどり』(2018年)という二つの傑作をつなげてみると、韓国社会における居住環境の変化がいかに人々の意識を変えたかが浮き上がる。

そこには多くの葛藤と苦悩があり、家族や個人の犠牲があった。それでもやはり新しい船を動かせるのは古い水夫ではない。世代交代と価値観の変化、老いては孫に従ったのである。

変化の速度についていけずに、落ちこぼれたのは高齢者だけではない。必死に食らいついたが大切なものを失った人たちもいた。

第三章でとりあげた『マイ・ディア・ミスター〜私のおじさん〜』と第八章の『私たちのブルース』は、人々が置き去りにしてきたものを取り戻そうとするドラマである。さらに第五章の『リトル・フォレスト　春夏秋冬』は日本映画のリメイクだが、プロデューサー自身が個人的につらかった時期に癒やされた作品であり、「ぜひ韓国版を」とイム・スルレ監督に懇願したのだという。そして私自身は昨年のつらかった時期、この韓国版に救われた。

そもそも隣国同士というのは特別な存在だと思う。古代から人も流れ、文化も流れた。水は高いほうから低いほうに流れるだけではない。水は小さな裂け目からも染み込み、乾いたところを潤していく。水は交わり、ときには大きな流れを作り出した。

第一二章の補足になるが、パク・チャヌク監督の『オールド・ボーイ』が２００４年にカンヌ国際映画祭でグランプリを受賞したとき、流れが合流したことの喜びを感じた。

あのとき、韓国社会は韓国映画が国際的な評価を得たことで大いに盛り上がった。特に主人公のキャラクターはテレビのバラエティ番組にはうってつけだった。もじゃもじゃ頭の男に出前の餃子のパロディなどが、それまでハードルの高かった「カンヌ的な映画」を一気に身近なものにした。

それと同時に映画の原作が日本の漫画であることも注目された。韓国で日本文化は特別な意味を持ち、1990年代までは日本映画の一般上映も許可されなかった。漫画やアニメも日本製であることが隠されて流通していた時期があり、それを後で知った韓国の人々は傷ついた。パク・チャヌク個人はそれを超えた人であり、他国の監督らと同じように日本漫画の要素を楽しみながら作品に取り入れていたが、韓国社会全体には「後ろめたさ」のようなものが残っていた。

そんな人々は、彼が真正面から日本の漫画を原作にし、それをもって国際的な賞に輝き、原作者たちからも絶賛されたことに感激した（日本での試写会で映画を見終わった瞬間、原作者の土屋ガロンはガッツポーズをしたという）。韓国は日本を超え、その呪縛からも自由になろうとしている。すでに絶版になってしまったが、『もう日本を気にしなくなった韓国人』（2007年）は、当時の韓国社会の変化に感激して書いた拙著のタイトルである。

古今東西、隣国同士は政治的に対立しながら、時に為政者はその文化の流れさえも止めようとした。帝国日本にいたっては隣国の文化そのものを抹殺しようとし、自国文化もまた破壊した。パク・チャヌク監督の『お嬢さん』（２０１６年）に登場する日韓の女性は、あの野蛮な時代につぶされかけた「文化」そのものだったと思う。

※

２０２３年2月末、成田空港から仁川空港行きの飛行機に乗った。パンデミックで入国制限がきつかった頃に比べて、時間とお金さえ融通できれば、日韓は気軽に行き来できるようになった。ちなみに日本では韓国人が、韓国では日本人が、互いに訪問客の1位になっている。

飛行機で隣に座った若い韓国女性は、仁川に到着するなりお母さんに電話していた。

「本当に幸せな時間だったんだから。食べて遊んで食べて。うなぎ丼も食べたし、ケーキも食べたし……もう幸せすぎ……このまま日本に飛行機で戻りたいぐらい、本当に美味しくて、幸せだったんだから……」

春休みを利用して日本留学中の友人を訪ねたという。何度も「幸せだった」と繰り返す娘の元気な声を聞くお母さんもまた幸せだろうし、そう思ったら私もなんだか幸せな気持ちになってきた。

それにしても、ドラマや映画についての解説をネタバレなしで書くというのはスリリングな仕事だった。作品を見ていない人にとっても、読み応えがあるようにと、そこは取材やインタビューで補った。時には熱く感想を語り、時にはボロクソに批判しながら、取材に協力してくれた韓国や日本の友人たちに感謝したい。今回も集英社新書プラスでの連載と新書化にあたって、担当編集者の金井田亜希さんには本当にお世話になった。どうもありがとうございました！

2023年3月3日　釜山にて

伊東順子（いとう　じゅんこ）

ライター、編集・翻訳業。愛知県生まれ。一九九〇年に渡韓。ソウルで企画・翻訳オフィスを運営。著書に『韓国カルチャー　隣人の素顔と現在』（集英社新書）、『ピビンバの国の女性たち』（講談社文庫）、『韓国　現地からの報告――セウォル号事件から文在寅政権まで』（ちくま新書）等。訳書に『搾取都市、ソウル――韓国最底辺住宅街の人びと』（イ・ヘミ著、筑摩書房）等。二〇一七年に同人雑誌『中くらいの友だち――韓くに手帖』（皓星社）を創刊。

続《ぞく》・韓国《かんこく》カルチャー　描《えが》かれた「歴史《れきし》」と社会《しゃかい》の変化《へんか》

集英社新書一一七二B

二〇二三年七月一九日　第一刷発行

著者……伊東順子《いとうじゅんこ》

発行者……樋口尚也

発行所……株式会社集英社

東京都千代田区一ツ橋二-五-一〇　郵便番号一〇一-八〇五〇

電話　〇三-三二三〇-六三九一（編集部）

〇三-三二三〇-六〇八〇（読者係）

〇三-三二三〇-六三九三（販売部）書店専用

装幀……原　研哉

印刷所……凸版印刷株式会社

製本所……加藤製本株式会社

定価はカバーに表示してあります。

ISBN 978-4-08-721272-3 C0236

Printed in Japan

a pilot of wisdom

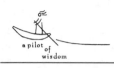